UMA MENTE CURIOSA
O SEGREDO PARA UMA VIDA BRILHANTE

TAMBÉM PRODUZIDO POR BRIAN GRAZER

CINEMA

Uma mente brilhante
Frost/Nixon
8 Mile — Rua das ilusões
O código Da Vinci
The Doors
Feita por encomenda
Rush — No limite da emoção
O gângster
O plano perfeito
Luzes de sexta à noite
O Grinch
Apollo 13
A onda dos sonhos
O mentiroso
O professor aloprado
O tiro que não saiu pela culatra
Splash — Uma sereia em minha vida

TELEVISÃO

84ª edição do Oscar
Friday Night Lights
Sports Night
Arrested Development
24 horas
Parenthood

THE NEW YORK TIMES BEST-SELLER

UMA MENTE CURIOSA
O SEGREDO PARA UMA VIDA BRILHANTE

BRIAN GRAZER
CHARLES FISHMAN

Portuguese *copyright* © 2016 by CDG Edições e Publicações
Do original em inglês: *A Curious Mind: The Secret to a Bigger Life*
Copyright © 2015 by Brian Grazer
All Rights Reserved.
Published by arrangement with the original publisher, Simon & Schuster, Inc.

Tradução:
Lúcia Brito

Autor:
Brian Grazer e Charles Fishman

Capa e projeto gráfico:
Pâmela Siqueira

Assistente de criação:
Dharana Rivas

Diagramação:
Dharana Rivas

DADOS INTERNACIONAIS DE CATALOGAÇÃO NA PUBLICAÇÃO (CIP)

G785m Grazer, Brian
  Uma mente curiosa: o segredo para uma vida brilhante / Brian Grazer, Charles Fishman – Porto Alegre : CDG, 2016.
  296 p.

  ISBN: 978-85-68014-27-1

  1. Cinema - Biografias 2. Curiosidade 3. Sucesso pessoal I. Fishman, Charles. II. Título.

                                                            CDD - 927

Bibliotecária Responsável:
Andreli Dalbosco – CRB 10-2272

Produção editorial e distribuição:

contato@citadeleditora.com.br
www.citadeleditora.com.br

Agente Logístico
www.brixcargo.com.br
Tel: (11) 5031-4565 / (51) 3470-7800 /
(41) 3323-1499

Para minha avó Sonia Schwartz.
Desde que eu era menino, ela tratou cada pergunta
que eu fazia como algo valioso.
Ela fez eu me ver como uma pessoa curiosa,
e a curiosidade é um dom que tem sido útil em cada dia de minha vida.

SUMÁRIO

— INTRODUÇÃO —
Uma mente curiosa e um livro curioso — 9

— UM —
Não existe cura para a curiosidade — 15

— DOIS —
O chefe de polícia, o magnata do cinema e o pai da bomba H:
pensando como os outros — 53

— TRÊS —
A curiosidade dentro da história — 83

— QUATRO —
A curiosidade como um poder de super-herói — 111

— CINCO —
Toda conversa é uma conversa de curiosidade — 141

— SEIS —
Bom gosto e o poder da anticuriosidade — 179

— SETE —
A era de ouro da curiosidade — 197

Conversas de curiosidade de Brian Grazer: **uma amostra** — 211
Conversas de curiosidade de Brian Grazer: **uma lista** — 239
Apêndice: **Como ter uma conversa de curiosidade** — 269
Agradecimentos — 277
Notas — 285

INTRODUÇÃO

UMA MENTE CURIOSA E UM LIVRO CURIOSO

*"Não tenho nenhum talento especial.
Sou apenas apaixonadamente curioso."*
— Albert Einstein[1]

Parece uma boa ideia começar um livro sobre a curiosidade fazendo uma pergunta óbvia:

O que é que um cara como eu está fazendo ao escrever um livro sobre curiosidade?

Sou produtor de cinema e TV. Vivo imerso no epicentro de entretenimento mais densamente povoado do mundo: Hollywood.

Qualquer que seja a imagem que você tenha da vida de um produtor de cinema de Hollywood eu provavelmente a vivi. Muitas vezes temos dez ou mais filmes e programas de TV em produção ao mesmo tempo, então trabalho significa reuniões com atores, roteiristas, diretores, músicos. As ligações telefônicas — com agentes, produtores, chefes de estúdio, estrelas — começam bem antes de eu chegar ao escritório e com frequência me acompanham

* Introdução *

até em casa, no carro. Eu voo para os *sets* de filmagem, seleciono os *trailers*, vou às estreias de tapete vermelho.

Meus dias são frenéticos, sobrecarregados, por vezes frustrantes. Geralmente muito divertidos. Nunca maçantes.

Mas não sou jornalista ou professor. Não sou cientista. Não vou para casa à noite pesquisar psicologia como um *hobby* secreto.

Sou um produtor de Hollywood.

Então o que *estou* fazendo ao escrever um livro sobre curiosidade?

Sem curiosidade, nada disso teria acontecido.

Mais do que a inteligência, ou a persistência, ou as conexões, foi a curiosidade que me possibilitou viver a vida que eu queria.

A curiosidade é o que dá energia e *insight* para todo o resto que faço. Eu amo o mundo do espetáculo, amo contar histórias. Mas amei ser curioso muito antes de amar o mundo do cinema.

Para mim, a curiosidade impregna tudo com uma sensação de possibilidade. A curiosidade, de forma bastante literal, foi a chave para meu sucesso e também a chave para a minha felicidade.

A despeito de todo o valor que a curiosidade trouxe para minha vida e meu trabalho, quando olho em volta, não vejo as pessoas falando sobre ela, escrevendo sobre ela, incentivando-a e a utilizando nem de longe tão amplamente quanto poderiam.

A curiosidade tem sido a qualidade mais valiosa, o recurso mais importante, a motivação central de minha vida. Acho que a curiosidade deveria fazer parte de nossa cultura, de nosso sistema educacional, de nosso local de trabalho, tanto quanto conceitos como "criatividade" e "inovação".

Por isso decidi escrever um livro sobre a curiosidade. Ela deixou minha vida melhor (e ainda deixa). Ela pode deixar a sua vida melhor também.

⋆ Introdução ⋆

• • •

Sou chamado de produtor de cinema — até eu mesmo me chamo assim —, mas o que realmente sou é um contador de histórias. Há alguns anos, comecei a pensar sobre a curiosidade como um valor que eu gostaria de compartilhar, uma qualidade que eu gostaria de inspirar em outras pessoas. Pensei: o que eu realmente gostaria de fazer é sentar e contar algumas histórias sobre o que a curiosidade tem feito por mim.

Eu gostaria de contar histórias sobre como a curiosidade me ajudou a fazer filmes. Gostaria de contar histórias sobre como a curiosidade me ajudou a ser um chefe melhor, um amigo melhor, um homem de negócios melhor, um convidado melhor para o jantar.

Eu gostaria de contar histórias sobre a alegria pura e simples das descobertas que a curiosidade em aberto oferece. É o tipo de alegria que temos quando criança, quando aprendemos coisas só porque somos curiosos. Você pode continuar fazendo isso como adulto, e é igualmente divertido.

A maneira mais eficaz de transmitir estas histórias — de ilustrar o poder e a variedade de curiosidade — é escrevê-las.

Assim, é isto que você tem em mãos. Juntei-me ao jornalista e escritor Charles Fishman e, ao longo de dezoito meses, falamos duas ou três vezes por semana — tivemos mais de uma centena de conversas, todas elas sobre a curiosidade.

Sei muito bem o quanto a curiosidade tem sido importante em minha vida. Como você verá nos próximos capítulos, há muito tempo descobri como ser sistemático no uso da curiosidade para me ajudar a contar histórias, para me ajudar a fazer bons filmes, para me ajudar a aprender sobre partes do mundo distantes de

★ Introdução ★

Hollywood. Uma das coisas que fiz por 35 anos foi sentar e manter conversas com gente de fora do *show business* — "conversas de curiosidade" com pessoas imersas em tudo, de física de partículas a etiqueta social.

Mas eu nunca tinha voltado minha curiosidade para a curiosidade em si. Então, passei os últimos dois anos pensando nela, fazendo perguntas sobre ela, tentando entender como ela funciona.

No decurso de explorar e esmiuçar, no decurso de diagramar a curiosidade e dissecar sua anatomia, descobrimos uma coisa interessante e surpreendente. Existe um espectro de curiosidade, como um espectro de cores. A curiosidade surge em diferentes tonalidades e diferentes intensidades para diferentes fins.

A técnica é a mesma — fazer perguntas — independentemente do assunto, mas a missão, a motivação e o tom variam. A curiosidade de um detetive tentando solucionar um assassinato é muito diferente da curiosidade de um arquiteto tentando acertar a planta da casa de uma família.

O resultado é, evidentemente, um livro ligeiramente incomum. Foi escrito na primeira pessoa, na voz de Brian Grazer, porque as histórias centrais provêm de minha vida e trabalho.

Em parte, portanto, o livro é um retrato meu. Mas na verdade é mais um retrato da curiosidade em ação.

A curiosidade levou-me a uma vida de jornadas. Fazer perguntas sobre a curiosidade em si nos últimos dois anos foi fascinante.

E uma coisa eu sei sobre a curiosidade: ela é democrática. Qualquer pessoa, em qualquer lugar, com qualquer idade ou nível de instrução, pode usá-la. Um lembrete do poder silencioso da

★ Introdução ★

curiosidade é que ainda existem países na Terra onde você tem que ter muito cuidado com sua curiosidade. Ser curioso na Rússia provou-se fatal; ser curioso na China pode fazê-lo acabar na prisão.

Mas, mesmo que sua curiosidade seja reprimida, você não pode perdê-la.

Ela está sempre ligada, sempre esperando ser solta.

O objetivo de *Uma mente curiosa* é simples: quero mostrar para você o quanto a curiosidade pode ser valiosa e lembrá-lo do quanto ela é divertida. Quero mostrar como a utilizei e como você pode utilizá-la.

A vida não é encontrar respostas, é fazer perguntas.

*Nunca lamentei
por ter feito
a próxima
pergunta.*

CAPÍTULO UM

NÃO EXISTE CURA PARA A CURIOSIDADE

"A cura para o tédio é a curiosidade.
Não existe cura para a curiosidade."
— Dorothy Parker[2]

Era uma tarde de quinta-feira, no verão depois que me graduei na Universidade do Sul da Califórnia (USC). Estava sentado no meu apartamento em Santa Mônica com as janelas abertas, pensando em como conseguir algum trabalho até começar a faculdade de direito na USC no outono.

De repente, pela janela, ouvi dois caras conversando lá fora. Um disse: "Oh, meu Deus, tive o emprego mais moleza na Warner Bros. Pagavam por oito horas de trabalho todos os dias, e geralmente era apenas uma hora".

Esse cara chamou minha atenção. Abri a janela mais um pouquinho para não perder o resto da conversa e fechei a cortina discretamente.

O cara a seguir contou que era funcionário do setor jurídico. "Larguei hoje. Meu chefe era um homem chamado Peter Knecht."

Fiquei maravilhado. Parecia perfeito para mim.

Fui direto para o telefone, disquei 411[3] e pedi o número principal da Warner Bros. — ainda lembro dele, 954-6000.[4]

Liguei para o número e pedi para falar com Peter Knecht. Uma assistente do escritório dele atendeu, e eu disse: "Vou para a faculdade de direito da USC no outono e gostaria de me reunir com o Sr. Knecht para falar do cargo de funcionário no setor jurídico que está vago".

Knecht pegou a ligação. "Pode estar aqui amanhã às 15 horas?", ele perguntou.

Encontrei-me com ele na sexta-feira às 15 horas. Ele me contratou às 15h15. E comecei a trabalhar na Warner Bros. na segunda-feira seguinte.

Na ocasião, não percebi bem, mas duas coisas incríveis aconteceram naquele dia de verão de 1974.

Em primeiro lugar, minha vida mudou para sempre. Quando me apresentei para trabalhar como funcionário de departamento jurídico naquela segunda-feira, deram-me um escritório sem janelas do tamanho de um *closet* pequeno. Naquele momento, encontrei o trabalho da minha vida. Daquele pequeno escritório, entrei para o mundo do *show business*. Nunca mais trabalhei em qualquer outra coisa.

Também percebi que a curiosidade me salvou naquela tarde de quinta-feira. Sou curioso desde que me lembro. Quando garoto, bombardeava minha mãe e minha avó com perguntas, algumas das quais elas conseguiam responder, outras não.

Quando rapaz, a curiosidade fazia parte do meu jeito de encarar o mundo todos os dias. Meu tipo de curiosidade não mudou muito desde a vez em que ouvi aqueles caras pela janela do

★ Não existe cura para a curiosidade ★

meu apartamento. Na verdade, não mudou muito desde que eu era um menino irrequieto de doze anos de idade.

Minha curiosidade tem olhos um pouco arregalados e às vezes é um pouco travessa. Muitas das melhores coisas que aconteceram em minha vida são resultado da curiosidade. E a curiosidade ocasionalmente meteu-me em encrenca.

Mas, mesmo quando a curiosidade me meteu em encrenca, foi uma encrenca interessante.

A curiosidade nunca me decepcionou. Nunca lamentei por ter feito a próxima pergunta. Pelo contrário, a curiosidade escancarou muitas portas de oportunidade para mim. Conheci gente incrível, fiz filmes maravilhosos, fiz grandes amigos, tive algumas aventuras completamente inesperadas, até mesmo me apaixonei — porque não tenho a menor vergonha de fazer perguntas.

Aquele primeiro emprego nos estúdios da Warner Bros. em 1974 era exatamente como o escritório minúsculo que veio com ele — confinante e desanimador. A tarefa era simples: eu tinha que entregar contratos finais e documentos legais para pessoas com quem a Warner Bros. fazia negócios. Era isso. Davam-me envelopes cheios de documentos e os endereços para onde eles deveriam ir, e lá eu ia.

Chamavam-me de "funcionário jurídico", mas eu era apenas um mensageiro de luxo. Na época, eu tinha um velho BMW 2002 — um sedan de duas portas quadradão que parecia inclinado para a frente. O meu era vermelho-vinho desbotado, e eu passava os dias andando por Hollywood e Beverly Hills, entregando pilhas de papéis importantes.

Identifiquei rapidamente a única coisa realmente interessante do emprego: as pessoas para quem eu levava os papéis. Eram a elite, os poderosos, os glamourosos de Hollywood dos anos 1970, roteiristas, diretores, produtores, estrelas. Havia apenas um problema: gente assim sempre tem assistentes ou secretários, porteiros ou caseiros.

Se eu ia fazer esse serviço, não ia perder a única parte boa. Eu não queria conhecer os caseiros, eu queria conhecer as pessoas importantes. Eu estava curioso sobre elas.

Então bolei um estratagema simples. Ao chegar, eu dizia para o intermediário — o secretário, o porteiro — que tinha que entregar os documentos diretamente à pessoa para o recebimento ser "válido".

Fui à ICM — a grande agência de talentos — entregar contratos para a superagente dos anos 1970, Sue Mengers,[5] que representava Barbra Streisand e Ryan O'Neal, Candice Bergen e Cher, Burt Reynolds e Ali MacGraw. Como conheci Mengers? Eu disse à recepcionista da ICM: "A única maneira de a senhorita Mengers receber isso é eu entregar pessoalmente". Ela me mandou entrar sem mais perguntas.

Se a pessoa a quem os documentos destinavam-se não estivesse, eu simplesmente ia embora e voltava. O cara que involuntariamente me deu a dica do trabalho estava certo. Eu tinha o dia inteiro, mas não havia muito trabalho com que me preocupar.

Foi assim que conheci Lew Wasserman, o chefão da MCA Studios e seu parceiro, Jules Stein.

Foi assim que conheci William Peter Blatty, que escreveu *O exorcista*, e também Billy Friedkin, que dirigiu o filme e ganhou o Oscar.

Entreguei contratos para Warren Beatty no Beverly Wilshire Hotel.

★ Não existe cura para a curiosidade ★

Eu tinha apenas 23 anos, mas era curioso. E aprendi rapidamente que podia não apenas conhecer essas pessoas, como também podia sentar e conversar com elas.

Eu entregava os documentos com graciosidade e deferência, e, como eram os anos 1970, sempre diziam: "Entre! Tome uma bebida! Tome uma xícara de café!".

Eu usava os momentos para ter um vislumbre daquelas pessoas, às vezes para obter um pouco de aconselhamento de carreira. Nunca pedi emprego. Nunca pedi nada, na verdade.

Muito rapidamente, percebi que o negócio do cinema era muito mais interessante do que a faculdade de direito. Então adiei a faculdade, nunca fui — eu teria dado um péssimo advogado — e mantive aquele emprego de escriturário por um ano, ao longo do verão seguinte.

Sabe o que é curioso? Ao longo de todo esse tempo, ninguém nunca expôs meu blefe. Ninguém disse: "Ei, garoto, deixe o contrato na mesa e caia fora. Você não precisa ver Warren Beatty".

Conheci cada uma das pessoas a quem entreguei papéis.

Assim como a curiosidade tinha me conseguido o emprego, também transformou o serviço em si em algo maravilhoso.

Os homens e mulheres para quem entreguei contratos mudaram minha vida. Mostraram-me todo um estilo de narrativa com o qual eu não estava familiarizado, e comecei a pensar que no fundo eu talvez fosse um contador de histórias. Eles prepararam o cenário para eu produzir filmes como *Apollo 13*, *Splash — Uma sereia em minha vida*, *O gângster*, *Luzes de sexta à noite* e *Uma mente brilhante*.

Durante esse ano em que fui funcionário jurídico aconteceu outra coisa igualmente importante. Foi o ano em que comecei a apreciar ativamente o poder real da curiosidade.

★ UMA MENTE CURIOSA ★

Para quem cresceu nos anos 1950 e 1960, ser curioso não era considerado exatamente uma virtude. Nas salas de aula bem organizadas e obedientes da era Eisenhower, curiosidade estava mais para algo irritante. Eu sabia que era curioso, claro, mas era meio parecido com usar óculos. Era algo que as pessoas notavam, mas não ajudava a ser escolhido para os times esportivos e não ajudava com as meninas.

Naquele primeiro ano na Warner Bros., percebi que a curiosidade era mais do que uma simples qualidade da minha personalidade. Era a minha arma secreta. Boa para ser escolhido para o time — viria a se revelar boa para se tornar o capitão do time — e boa até mesmo para pegar as meninas.

• • •

Curiosidade parece uma coisa tão simples. Inocente até.

Cães labradores são encantadoramente curiosos. Os botos são divertidos e maliciosamente curiosos. Uma criancinha de dois anos de idade vasculhando os armários da cozinha é exuberantemente curiosa — e deleita-se com o valor do entretenimento ruidoso de sua curiosidade. Cada pessoa que digita uma consulta no mecanismo de busca do Google e pressiona ENTER está curiosa sobre *alguma coisa* — e isso acontece quatro milhões de vezes por minuto, a cada minuto de cada dia.[6]

Mas a curiosidade tem um poder de bastidores potente que nós basicamente negligenciamos.

A curiosidade é a faísca que dá início a um flerte — num bar, numa festa, através da sala na aula de Economia. E a curiosidade, por fim, nutre esse romance e todas as nossas melhores relações humanas — casamentos, amizades, o vínculo entre pais e filhos. A curiosidade de fazer uma simples pergunta — "Como foi seu dia?"

★ Não existe cura para a curiosidade ★

ou "Como está se sentindo?" —, ouvir a resposta e fazer a próxima pergunta.

A curiosidade pode parecer trivial e urgente ao mesmo tempo. Quem atirou em J.R.? Como *Breaking Bad* acabará? Quais são os números do bilhete ganhador da maior bolada da história do Powerball? Estas perguntas têm uma espécie de compulsão impaciente — até o momento em que conseguimos a resposta. Uma vez que a curiosidade é satisfeita, a pergunta se esvazia. *Dallas* é o exemplo perfeito: *quem* atirou em J.R.? Se você estava vivo na década de 1980, conhece a pergunta, mas pode não lembrar da resposta.[7]

Existem muitos casos em que a urgência acaba por se justificar, claro, e satisfazer a curiosidade inicial apenas desencadeia mais curiosidade. O esforço para decodificar o genoma humano transformou-se em uma dramática corrida de alto risco entre duas equipes de cientistas. E, assim que o genoma ficou disponível, os resultados abriram mil novos caminhos para a curiosidade científica e médica.

A qualidade de muitas experiências corriqueiras com frequência articula-se em cima da curiosidade. Quando vai comprar uma TV nova, o modelo que você finalmente leva para casa e o quanto você gosta dele dependem em muito de um vendedor curioso: curioso o suficiente sobre TVs para conhecê-las bem; curioso o suficiente sobre você, suas necessidades e hábitos de telespectador para descobrir de qual TV você precisa.

De fato, isso é um exemplo perfeito de curiosidade camuflada.

Em uma interação como essa, nós classificaríamos o vendedor como "bom" ou "ruim". Um mau vendedor poderia tentar vender-nos agressivamente algo que não queremos ou não entendemos, ou simplesmente nos mostraria as TVs à venda papagueando de modo indiferente os recursos listados no cartazete colocado embaixo de cada aparelho. Mas o ingrediente-chave em ambos os casos é a curiosidade — sobre o cliente e sobre os produtos.

A curiosidade esconde-se dessa forma por quase toda parte que se olhe — sua presença ou ausência revelam-se o ingrediente mágico em toda uma gama de lugares surpreendentes. A chave para desvendar os mistérios genéticos da humanidade: curiosidade. A chave para fornecer um atendimento decente: curiosidade.

Se você está em um jantar de negócios chato, a curiosidade pode salvá-lo.

Se você está entediado com sua carreira, a curiosidade pode salvá-lo.

Se você está se sentindo desmotivado ou sem criatividade, a curiosidade pode ser a cura.

Ela pode ajudá-lo a usar frustração ou raiva de forma construtiva.

Pode lhe dar coragem.

A curiosidade pode dar sabor à sua vida e pode levá-lo muito além do entusiasmo — pode enriquecer seu senso de segurança, confiança e bem-estar.

Mas é claro que ela não faz nada disso sozinha.

Embora cães labradores sejam realmente curiosos, nenhum labrador preto jamais decodificou o genoma, nem conseguiu um emprego na Best Buy. Eles perdem o interesse rapidamente.

Para ser eficaz, a curiosidade tem que ser atrelada a pelo menos dois outros traços chaves. Primeiro, a capacidade de prestar atenção nas respostas às suas perguntas — você tem que absorver realmente o que quer que lhe deixe curioso. Todos nós conhecemos gente que realmente faz boas perguntas, que parece envolvida e energizada quando fala e faz as perguntas, mas que perde a atenção no momento em que você vai responder.

A segunda característica é a vontade de agir. Curiosidade, sem dúvida, foi a inspiração para se pensar que poderíamos voar até a Lua, mas não arregimentou as centenas de milhares de pessoas, os bilhões de dólares e a determinação para superar os fracassos e desastres ao longo do caminho até tornar aquilo uma realidade. Curiosidade pode inspirar a visão original — de uma missão para a Lua, ou de um filme. Pode reabastecer essa inspiração quando o moral fraqueja — olhe, é para lá que estamos indo! Mas em algum momento, no caminho para a Lua ou no cinema, o trabalho fica difícil, os obstáculos tornam-se um matagal, a frustração se acumula, e aí você precisa de determinação.

Espero conseguir três coisas com esse livro: quero despertá-lo para o valor e o poder da curiosidade; quero mostrar todas as maneiras de usá-la, na esperança de inspirá-lo a testar em sua vida diária; e quero começar uma conversa no mundo sobre por que uma qualidade tão importante é tão pouco valorizada, ensinada e cultivada hoje em dia.

Para uma característica com tanto poder potencial, a curiosidade em si parece descomplicada. Os psicólogos definem curiosidade como "querer saber". É isso. E essa definição combina com nosso próprio senso comum. "Querer saber" significa, claro, procurar informação. Curiosidade começa como um impulso, um ímpeto, mas irrompe no mundo como algo mais ativo, mais penetrante: uma pergunta.

Esta inquisitividade parece tão intrínseca a nós como a fome ou a sede. Uma criança faz uma série de perguntas aparentemente inocentes: por que o céu é azul? Até que altura vai o céu azul? Para onde o azul vai à noite? Em vez de respostas (a maioria dos adultos não sabe explicar por que o céu é azul, inclusive eu), a criança pode ouvir uma réplica desdenhosa, ligeiramente condescendente, tipo: "Ora, então é *você* a menininha curiosa...".[8]

Para alguns, perguntas como estas soam desafiadoras, ainda mais se não sabem as respostas. Em vez de respondê-las, o adulto simplesmente exerce sua autoridade para deixá-las de lado. A curiosidade pode fazer nós adultos nos sentirmos um pouco inadequados ou impacientes — é a experiência do pai que não sabe por que o céu é azul, a experiência do professor tentando chegar ao fim da lição do dia sem transtornos.

A menina não só é deixada sem respostas, como também com a forte impressão de que fazer perguntas — perguntas intrigantes ou inócuas — muitas vezes pode ser considerado impertinente.

Não é de surpreender.

Hoje em dia ninguém fala nada de ruim sobre a curiosidade de forma direta. Mas, se você prestar atenção, a curiosidade não é realmente comemorada e cultivada, não é protegida e incentivada. Não se trata apenas de a curiosidade ser inconveniente. A curiosidade pode ser perigosa. A curiosidade não é apenas impertinente, ela é rebelde. É revolucionária.

A criança que se sente livre para perguntar por que o céu é azul cresce para ser o adulto que faz perguntas mais perturbadoras: por que eu sou o servo e você é o rei? Será que o Sol realmente gira em torno da Terra? Por que as pessoas de pele escura são escravas e as de pele clara são suas senhoras?

Quão ameaçadora é a curiosidade?

Tudo que você tem que fazer é olhar a Bíblia para ver.

★ Não existe cura para a curiosidade ★

A primeira narrativa da Bíblia, depois do relato da criação, o primeiro conto envolvendo pessoas, é sobre curiosidade. A história de Adão, Eva, da serpente e da árvore não acaba bem para os curiosos.

Adão é explicitamente avisado por Deus: "Você é livre para comer de qualquer árvore do jardim; mas não deve comer da árvore do conhecimento do bem e do mal, pois, quando comer dela, você certamente morrerá".[9]

É a serpente que sugere o desafio à restrição de Deus. Ela começa com uma pergunta a Eva: existe uma árvore cujos frutos Deus colocou fora dos limites? Sim, diz Eva, a árvore bem no centro do jardim — não podemos comer seu fruto, não podemos sequer tocá-la, senão morreremos.

Eva conhece muito bem as regras, até dá uma enfeitada: nem mesmo *tocar* na árvore.

A serpente replica com o que certamente é a bravata mais imprudente da história — sem medo do conhecimento do bem e do mal, ou de Deus. Ela diz a Eva: "Certamente vocês não morrerão! Deus sabe que, no dia em que dela comerem, seus olhos se abrirão, e vocês serão como Deus, conhecedores do bem e do mal".[10]

A serpente apela diretamente à curiosidade de Eva. Você nem sabe o que não sabe, diz a serpente. Com uma mordida do fruto proibido, você verá o mundo de uma maneira completamente diferente.

Eva vai até a árvore e descobre que "o fruto da árvore era bom como alimento e agradável aos olhos e também desejável para se obter sabedoria".[11]

Ela arranca uma fruta, dá uma mordida e a entrega para Adão, que também dá uma mordida. "E os olhos de ambos se abriram."[12]

O conhecimento nunca foi obtido com tanta facilidade, nem

conquistado de forma tão dura no fim das contas. Dizer que Deus ficou zangado é eufemismo. A punição por conhecer o bem e o mal é a desgraça de Adão e Eva e de todo o resto de nós para sempre: a dor do parto para Eva, a labuta incessante para produzir o próprio alimento para Adão. E, claro, a expulsão do jardim.

A parábola não poderia ser mais incisiva: curiosidade causa sofrimento. Com efeito, a moral da história visa diretamente o público: qualquer que seja sua atual desgraça, leitor, ela foi causada por Adão, Eva, pela serpente e pela curiosidade rebelde deles.

Então é isso aí. A primeira história, a obra de alicerce da civilização ocidental — a primeira história! — é sobre a curiosidade, e sua mensagem é: não faça perguntas. Não procure conhecimento por conta própria — deixe para o pessoal no comando. Conhecimento só leva à miséria.

Barbara Benedict, professora na Faculdade Trinity em Hartford, Connecticut, e especialista em século XVIII, passou anos estudando a atitude em relação à curiosidade durante esse período, quando a investigação científica buscou ultrapassar a religião como forma de entendermos o mundo.

A história de Adão e Eva, diz ela, é um aviso. "Você é um servo porque Deus disse que você deve ser um servo. Eu sou um rei porque Deus disse que eu devo ser rei. Não faça perguntas sobre isso. Histórias como Adão e Eva", diz Benedict, "refletem a necessidade das culturas e civilizações de manter o *status quo*. As coisas são como são porque esse é o jeito certo. Essa atitude é popular entre os governantes e os que controlam a informação". E tem sido assim desde o jardim do Éden até o governo Obama.

A curiosidade ainda não é respeitada. Vivemos numa época em que, se você estiver disposto a dar uma olhada, todo conhecimento

★ *Não existe cura para a curiosidade* ★

humano está acessível em um *smartphone*, mas o preconceito contra a curiosidade ainda impregna nossa cultura.

A sala de aula deveria ser um ambiente de perguntas, um lugar para seu cultivo, para se aprender a perguntar, bem como aprender a ir atrás das respostas. Algumas salas de aula são. Mas, na verdade, na escola a curiosidade em geral é tratada com a mesma consideração que no jardim do Éden. Especialmente com a recente proliferação dos testes padronizados, as perguntas podem descarrilar a estrutura fechada do plano de aula do dia; às vezes os próprios professores não sabem as respostas. É exatamente o oposto do que você esperaria, mas a curiosidade autêntica numa sala de aula típica de sétima série não é cultivada — porque é inconveniente e prejudicial para o funcionamento ordeiro da classe.

A situação é pouca coisa melhor nos escritórios e locais de trabalho onde a maioria dos adultos passa a vida. Claro que programadores de *software*, pesquisadores farmacêuticos ou professores universitários são incentivados a ser curiosos porque isso é uma parte importante do trabalho deles. Mas e se a enfermeira do hospital ou o caixa de banco típicos ficam curiosos e começam a questionar como as coisas são feitas? Fora alguns lugares verdadeiramente excepcionais, como Google, IBM e Corning, a curiosidade é indesejável, quando não insubordinada. Bom comportamento — quer você tenha quatorze ou 45 anos — não inclui curiosidade.

Até mesmo a palavra "curioso" permanece estranhamente anticuriosa. Todos nós fingimos que uma pessoa curiosa é uma delícia, claro. Mas, quando descrevemos um objeto com o adjetivo "curioso", queremos dizer que é uma esquisitice, algo um pouco estranho, algo não normal. E, quando alguém responde uma pergunta entortando a cabeça e declarando: "Essa é uma pergunta curiosa", é claro que está dizendo que não é a pergunta certa de se fazer.

Aqui está a coisa notável. A curiosidade não é apenas uma ótima ferramenta para melhorar sua própria vida e felicidade, sua capacidade de conseguir um belo emprego ou um belo cônjuge. É a chave para as coisas que afirmamos mais valorizar no mundo moderno: independência, autonomia, autodeterminação, autoaperfeiçoamento. A curiosidade é o caminho para a liberdade em si.

A capacidade de fazer qualquer pergunta encarna duas coisas: a liberdade de ir atrás da resposta e a capacidade de desafiar a autoridade para perguntar: "Como é que você está no comando?".

A curiosidade é uma forma de poder e também uma forma de coragem.

• • •

Eu era um garoto gorducho e cresci como um adolescente gorducho. Quando me formei no ensino médio, eu tinha pneuzinhos. Eu era zoado na praia. Eu parecia fofinho, com ou sem camisa.

Decidi que não queria ter a aparência que eu tinha. Aos 22 anos de idade, mudei minha dieta e desenvolvi uma rotina de exercícios — uma disciplina na verdade. Eu pulava corda todos os dias, duzentos pulos por minuto, trinta minutos por dia, sete dias por semana. Seis mil saltos por dia durante doze anos. Meu corpo mudou gradativamente, os pneuzinhos desapareceram.

Não malhei para ficar sarado. E não pareço uma estrela de cinema. Mas também não tenho a aparência que você possa imaginar que seja a de um produtor de cinema. Tenho meu estilo

★ Não existe cura para a curiosidade ★

próprio ligeiramente excêntrico. Uso tênis para trabalhar. Passo gel no cabelo para deixá-lo eriçado, tenho um grande sorriso.

E hoje em dia ainda faço exercícios quatro ou cinco vezes por semana, geralmente a primeira coisa pela manhã, muitas vezes levantando antes das 6 para garantir que eu tenha tempo. (Não pulo mais corda, porque acabei rompendo os dois tendões de Aquiles.) Tenho 63 anos e, nas últimas quatro décadas, nunca tive um deslize de voltar a ser fofinho.

Tomei uma resolução e a transformei em um hábito, em parte de como vivo cada dia.

Fiz a mesma coisa com a curiosidade.

De um jeito muito gradual, a partir do primeiro emprego de funcionário jurídico na Warner Bros., conscientemente tornei a curiosidade uma parte da minha rotina.

Já expliquei o primeiro passo, insistindo em conhecer todo mundo para quem eu entregava contratos legais. Aprendi duas coisas com meu sucesso nisso. A primeira é que as pessoas — até mesmo gente famosa e poderosa — ficam felizes em falar, especialmente sobre si e seu trabalho; a segunda é que é útil ter um pretexto, pequeno que seja, para falar com elas.

Minha frase: "Tenho que entregar esses papéis em pessoa", era isso, um pretexto — funcionou para mim, funcionou com os assistentes, funcionou até com as pessoas a quem eu visitava. "Oh, ele precisa me ver pessoalmente, claro."

Alguns meses depois que entrei na Warner Bros., um vice-presidente sênior do estúdio foi demitido. Lembro-me de ver rasparem o nome dele da porta do escritório.

O escritório era espaçoso, tinha janelas, tinha duas secretárias e, o mais importante, ficava ao lado da suíte executiva — que eu chamava de escritórios "da realeza", onde trabalhavam o presidente da Warner Bros., bem como o presidente e o vice-presidente do conselho de administração.

Perguntei a meu chefe, Peter Knecht, se poderia usar o escritório do vice-presidente enquanto estivesse vazio.

"Claro", disse Knecht. "Vou arranjar isso."

O novo escritório mudou tudo. Da mesma forma que usar as roupas certas para a ocasião — quando usa um terno, você se sente mais confiante e maduro —, trabalhar naquele escritório da realeza mudou meu ponto de vista. De repente, senti como se eu tivesse meu próprio imóvel, minha própria franquia.

Aquela era uma época fantástica para estar no *show business* em Hollywood, final dos anos 1960 e anos 1970, e a suíte "da realeza" era ocupada por três das pessoas mais importantes e criativas da época — Frank Wells, presidente da Warner Bros., que depois chefiou a Disney; Ted Ashley, que não era um nome da casa, mas que, como presidente do conselho da Warner Bros., realmente trouxe energia e sucesso ao estúdio outra vez; e John Calley, vice-presidente do conselho da Warner, um produtor lendário, uma espécie de intelectual de Hollywood, uma força criativa e, sem dúvida, uma figura excêntrica.

Eu era apenas um funcionário jurídico, mas tinha um escritório, minhas próprias secretárias e tinha até um daqueles interfones antiquados na minha mesa. Ali ao lado da minha porta trabalhavam três dos homens mais poderosos de Hollywood. Eu tinha criado uma situação onde eu estava no lugar certo na hora certa.

Eu estava perplexo com a indústria do entretenimento, e parecia que até mesmo muita gente da indústria de entretenimento

★ Não existe cura para a curiosidade ★

também estava perplexa. Era difícil entender como os filmes e programas de TV eram feitos. Definitivamente não era um processo linear. As pessoas pareciam estar navegando num nevoeiro sem instrumentos.

Mas fiquei fascinado e fui cativado. Eu era como um antropólogo entrando em um mundo novo, com uma nova linguagem, novos rituais, novas prioridades. Era um ambiente completamente envolvente, que ativou minha curiosidade. Eu estava determinado a estudá-lo, compreendê-lo, dominá-lo.

Foi John Calley quem realmente me mostrou o que significava estar na indústria do entretenimento e quem também me mostrou como poderia ser isso. Calley foi uma figura enorme e uma importante força criativa do cinema nas décadas de 1960 e 1970. Sob sua égide, a Warner Bros. floresceu, produzindo filmes como *O exorcista*, *Laranja mecânica*, *Amargo pesadelo*, *Um dia de cão*, *Todos os homens do presidente*, *Inferno na torre*, *Dirty Harry — Perseguidor implacável* e *Banzé no Oeste*.[13]

Quando eu trabalhava no mesmo corredor que ele, Calley tinha 44 ou 45 anos de idade, estava no auge de seu poder e já era uma lenda — inteligente, excêntrico, maquiavélico. Naquela época a Warner Bros. rodava um filme por mês,[14] e Calley estava sempre pensando cem filmes à frente. Um punhado de pessoas amavamno, um grupo um pouco maior admirava-o, e muita gente o temia.

Acho que o que ele considerava atraente em mim era minha inocência, minha ingenuidade absoluta. Eu não estava metido em manipulações. Eu era muito novinho, nem entendia de manipulação.

Calley dizia: "Grazer, venha sentar no meu escritório". Colocava-me no sofá, e eu o observava trabalhar.

A coisa toda foi uma revelação. Meu pai era advogado, atuava sozinho e lutava para ser bem-sucedido. Eu estava a caminho da faculdade de direito — uma vida de arquivo de pastas de papel pardo, pilhas de instruções, dossiês grossos, trabalhando em uma mesa com tampo de couro sintético.

Calley trabalhava em um escritório enorme, bonito e elegante. O ambiente era projetado como uma sala de estar. Calley não tinha mesa. Ele tinha um par de sofás e trabalhava o dia todo sentado no sofá.

Ele não escrevia nem datilografava nada, não carregava pilhas de trabalho do escritório para casa todos os dias. Ele conversava. Sentava-se naquela sala de estar elegante, no sofá, e conversava o dia inteiro.[15] Na verdade, os contratos que eu entregava eram apenas o ato final, a formalização de toda a conversa. Sentado lá no sofá de Calley, ficou claro que a parte de negócios do mundo do entretenimento baseava-se toda em conversas.

E, vendo Calley trabalhar, percebi uma coisa: os pensamentos criativos não tinham que seguir uma linha narrativa reta. Você podia ir atrás de seus interesses, suas paixões, podia ir no encalço de qualquer ideia peculiar que surgisse de algum recanto estranho de sua experiência ou cérebro. Ali estava um mundo onde boas ideias tinham valor real — e ninguém se importava se a ideia estava ligada a uma ideia de ontem ou relacionava-se aos dez minutos anteriores da conversa. Se fosse uma ideia interessante, ninguém se importava de onde tivesse vindo.

Foi uma epifania. Era como meu cérebro funcionava — muitas ideias, só que não organizadas como a tabela periódica.

Durante anos me puxei na escola. Eu não era muito bom em ficar sentado quietinho, socado em uma mesinha, seguindo os horários da sineta e preenchendo folhas. Aquele modo binário de aprendizagem — ou você sabe a resposta ou não sabe — não se ajustava ao meu cérebro e não me atraía. Sempre tive a sensação de que as ideias vinham de todos os cantos do meu cérebro, e me sentia assim mesmo quando criança.

Fui bem na faculdade, mas só porque então eu havia descoberto alguns truques para ter sucesso naquele ambiente. Todavia as turmas enormes e as tarefas de casa impessoais não me empolgavam. Não aprendi muita coisa. Estava indo para o curso de direito porque havia entrado e porque não sabia ao certo que outra coisa fazer. Pelo menos eu tinha alguma ideia do que significava ser um advogado — embora, francamente, se parecesse bastante com uma sentença de prisão perpétua para ainda mais tarefas de casa, presumindo que eu passasse no exame da ordem.

Calley, por outro lado, era um dos caras mais badalados do mundo. Conhecia estrelas de cinema, convivia com estrelas de cinema. Era altamente letrado — lia o tempo todo. Sentava-se no sofá, com ideias e decisões esvoaçando por seu escritório o dia todo sem regras ou rigidez.

Vê-lo era inebriante. Pensei: quero viver no mundo desse homem. Quem precisa de uma **_vida_** de arquivos pardos sanfonados? Quero trabalhar num sofá, seguir a minha curiosidade e fazer filmes.[16]

Sentado ali no escritório dele, pude entender claramente que a indústria do cinema era construída sobre ideias — um fluxo constante de ideias cativantes, novas ideias todos os dias. E de repente ficou claro para mim que a curiosidade era o caminho para descobrir ideias, a forma de desencadeá-las.

Eu sabia que eu era curioso — da mesma forma que você pode saber que é engraçado ou tímido. Curiosidade era uma qualidade da minha personalidade. Mas até aquele ano eu não havia conectado a curiosidade ao sucesso no mundo. Na escola, por exemplo, nunca associei ser curioso com tirar boas notas.

Mas na Warner Bros. descobri o valor da curiosidade — e comecei o que considero minha jornada de curiosidade, seguindo-a de forma sistemática.

Calley e eu nunca conversamos sobre a curiosidade. Contudo, ter conseguido o escritório espaçoso e assistir Calley em ação me deu outra ideia, uma versão mais evoluída de meus encontros com as pessoas a quem eu entregava contratos. Percebi que eu não precisava conhecer somente as pessoas com quem a Warner Bros. fazia negócios na época. Eu podia ver qualquer pessoa da indústria que eu quisesse. Podia ver pessoas que despertassem minha curiosidade simplesmente ligando para seus escritórios e pedindo uma entrevista.

Elaborei uma breve apresentação para as secretárias e assistentes que atendiam o telefone: "Oi, meu nome é Brian Grazer. Trabalho para a Warner Bros. Assuntos de negócios. Isto não está relacionado às atividades do estúdio e não quero um emprego, mas gostaria de me encontrar com o Sr. Fulano de Tal por cinco minutos para falar com ele". E sempre dava um motivo específico para querer falar com cada pessoa.

Minha mensagem era clara: eu trabalhava em um lugar real, queria apenas cinco minutos na agenda e *não* queria um emprego. E era educado.

Assim como a insistência em entregar os documentos legais em mãos, essa apresentação funcionou como um feitiço.

★ Não existe cura para a curiosidade ★

Falei com o produtor David Picker, que estava na Columbia Pictures.

Daí pensei que talvez pudesse ver o produtor Frank Yablans, e fiz isso.

Tendo conhecido Yablans, pensei que talvez pudesse conhecer Lew Wasserman, o chefe da MCA. E fiz isso.

Fui subindo na hierarquia. Uma conversa com uma pessoa da indústria do cinema sugeria meia dúzia de outras pessoas com quem eu poderia falar. Cada sucesso me dava confiança para tentar a próxima pessoa. A constatação foi de que eu realmente poderia conversar com quase qualquer um da indústria.

Isso foi o começo de algo que mudou — e continua a mudar — minha vida e minha carreira, e que, em última análise, inspirou este livro.

Comecei a ter o que chamei de conversas de curiosidade. No início, foi apenas dentro do ramo. Por um longo tempo, tive uma regra pessoal: eu tinha que conhecer todo dia uma nova pessoa da indústria do entretenimento.[17] Mas logo percebi que na verdade eu poderia fazer contato e conversar com qualquer pessoa de qualquer atividade pela qual ficasse curioso. Não é só no *showbiz* que as pessoas estão dispostas a falar de si e de seu trabalho — todas estão.

Há 35 anos vou atrás de pessoas que me deixam curioso e pergunto se poderia sentar com elas por uma hora. Houve um ano em que tive apenas uma dúzia de conversas de curiosidade, mas às vezes mantive-as numa frequência de uma por semana. Meu objetivo sempre foi manter uma conversa a cada duas semanas pelo menos. Depois que comecei a realizar as conversas de curiosidade como uma prática, minha única regra pessoal foi de que as pessoas tinham que ser de fora do mundo do cinema e da TV.

A ideia não era passar mais tempo com gente do tipo com quem eu trabalhava todos os dias. Eu havia descoberto rapidamente que a indústria do entretenimento é incrivelmente insular — tendemos a falar apenas de nós mesmos. É fácil pensar que o cinema e a TV são uma versão em miniatura do mundo. Isso não está apenas errado: é uma perspectiva que leva a filmes medíocres e também a se tornar um chato.

Eu levava as conversas de curiosidade tão a sério que muitas vezes passei um ano ou mais tentando marcar um encontro com pessoas específicas. Passava horas ligando, escrevendo cartas, bajulando, travando amizade com os assistentes. À medida que me tornei mais bem-sucedido e ocupado, incumbi uma pessoa da minha equipe de organizar as conversas — a *New Yorker* fez um pequeno artigo sobre a função, que veio a ser conhecida como "adido cultural". Por um tempo, tive alguém cuja única tarefa era marcar as conversas.[18]

A meta era seguir minha curiosidade, e eu variava tão amplamente quanto podia. Sentei com dois diretores da CIA. Com Carl Sagan e Isaac Asimov. Conheci o homem que inventou a arma mais poderosa da história e o homem mais rico do mundo. Conheci gente de quem tinha medo, conheci gente que realmente não queria conhecer.

Nunca conheci ninguém tendo um filme em mente (embora é claro que nos últimos anos algumas pessoas se reuniram comigo porque pensaram que eu talvez fizesse um filme sobre elas ou seu trabalho). O objetivo para mim é aprender alguma coisa.

Os resultados foram sempre surpreendentes, e as conexões que estabeleci a partir das conversas de curiosidade jorraram em cascata através de minha vida — e dos filmes que fizemos — das

★ Não existe cura para a curiosidade ★

formas mais inesperadas. Minha conversa com o astronauta Jim Lovell com certeza me botou no caminho de contar a história de *Apollo 13*. Mas como transmitir em um filme a psicologia de estar preso numa nave espacial em pane? Foi Veronica de Negri, uma ativista chilena torturada durante meses por seu próprio governo, que me ensinou o que é ser forçado a confiar totalmente em si mesmo para sobreviver. Com certeza Veronica de Negri ajudou-nos a acertar em *Apollo 13* tanto quanto Jim Lovell.

Ao longo do tempo, descobri que sou curioso de um modo particular. Meu senso mais forte de curiosidade é o que chamo de curiosidade emocional: quero entender o que move as pessoas, quero ver se consigo conectar a atitude e personalidade de uma pessoa a seu trabalho, seus desafios e realizações.

Encontrei-me com Jonas Salk, o cientista e médico que curou a poliomielite, o homem que foi um dos meus heróis de infância. Demorei mais de um ano para conseguir um horário com ele. Eu não estava interessado no método científico que Salk usou para descobrir como desenvolver a vacina da poliomielite. Eu queria saber como era ajudar milhões de pessoas a evitar uma doença incapacitante que lançava uma sombra sobre a infância de todos quando eu era garoto. E Salk havia atuado em uma época diferente. Ele era famoso, admirado, bem-sucedido — mas não obteve retorno financeiro. Ele curou o que era então a pior doença a afligir o mundo e nunca ganhou um centavo por isso. Você pode imaginar uma coisa dessas acontecendo hoje? Eu queria entender a mentalidade que libera uma cura dessas no mundo.

Encontrei-me com Edward Teller, criador da bomba de hidrogênio. Ele era um homem idoso quando o conheci, trabalhando no programa antimísseis "Star Wars" do presidente

Reagan. Foi outra pessoa com que tive que fazer *lobby* por um ano para conseguir uma hora. Eu queria entender o intelecto de um homem que cria algo como a bomba de hidrogênio e qual é seu senso de moralidade.

Encontrei-me com Carlos Slim, o empresário mexicano que é o homem mais rico do mundo.[19] Como é o cotidiano do homem mais rico do mundo? Eu queria saber o que é preciso para ser um empresário desse tipo, ser tão motivado e determinado que conquista mais do que qualquer outra pessoa.

A verdade é que, quando me encontrava com alguém como Salk, Teller ou Slim, eu esperava um *insight*, uma revelação. Eu queria sacar quem eles eram. Claro, você em geral não consegue isso com estranhos em uma hora.

Salk foi agradável e amistoso. Teller, um ranzinza. E Carlos Slim, o contrário do que eu esperava — nada enérgico, pragmático ou implacável em qualquer sentido. Foi muito cordial. Muito latino. Na hora do almoço, pediu um monte de pratos, bebeu vinho, parecia não haver nenhum outro lugar onde quisesse estar — nosso almoço durou três horas.

Fiz centenas e centenas de reuniões de curiosidade. É algo que aguardo ansiosamente e muitas vezes é a coisa de que acabo mais gostando. Para mim, aprender com alguém que está diante de mim é melhor que sexo. É melhor que sucesso.

Tive minha primeira conversa de curiosidade para valer fora da indústria do entretenimento aos 23 anos. Eu havia sido despedido do emprego de funcionário jurídico na Warner Bros. (depois de quinze meses, concluíram que eu estava me divertindo demais e entregando documentos de menos) e estava trabalhando para o produtor Edgar Scherick (*Assalto ao metrô 123*, *Esposas em conflito*), tentando me tornar um produtor.

★ *Não existe cura para a curiosidade* ★

Fui ver F. Lee Bailey, o advogado criminalista mais famoso do país na época. Bailey tinha sido advogado de Sam Sheppard e Patty Hearst.

Eu tinha uma ideia para uma série de TV que se chamava *F. Lee Bailey's Casebook of American Crimes* (Livro de registro de crimes americanos de F. Lee Bailey) — meio que uma versão judiciária de *Walt Disney Presents* usando um perito para narrar as histórias de grandes casos.

Eu queria muito falar com Bailey. Ele vinha ganhando um monte de casos importantes. Como ele os escolhia? Ele tinha uma bússola moral? Como se comunicava no tribunal — com fatos? Com pontos legais? Com a moralidade do caso?

Eu queria entender a distinção entre o conjunto de crenças de um advogado e aquilo em que ele era bom. Qual era o propósito de Bailey na vida, e como isso se entrelaçava com seus talentos?

Quando fui até Bailey, ele estava se preparando para o julgamento de um caso em Las Cruces, Novo México. Por alguma razão ele concordou em me ver, então fui lá.

Foi meio maluco. Ele estava hospedado naquela cidade minúscula, num motel de estrada com decoração temática do Oeste, meio caído, com uma piscina em formato de rim. Eu não fazia ideia do que aconteceria. Bati na porta, ele abriu — estava sozinho, sem assistentes — e me disse para entrar enquanto ensaiava sua argumentação.

O calor era inclemente. Me acomodei no sofá do quarto. Bailey parecia estar criando sua argumentação na minha frente. Depois de algum tempo, me mandou até a loja de bebidas do outro lado da rua para comprar uma garrafa de Johnny Walker Black.

Ele tomou um drinque. Andava de um lado para o outro

39

no quarto, ficando mais confiante, construindo seu argumento, soando muito inteligente. Ele tinha toneladas de informações. Eu realmente não entendi, mas ele estava testando a argumentação em mim.

Ali no quarto do hotel, vi que o cara era uma força. Fascinante.

Voei para casa pensando que ele seria um ótimo apresentador do programa de TV. Naquele tempo, antes dos *reality shows* de TV, de Nancy Grace e Greta Van Susteren, estávamos pensando no programa como uma minissérie. Fizemos um acordo com Bailey, contratamos um roteirista, mas no final nunca foi produzido.

Ainda assim, sentado no sofá do quarto do motel pegajoso naquela cidadezinha do Novo México, ouvindo Bailey montar seu caso, percebi que existia uma distância enorme entre os nobres motivos pelos quais ele provavelmente tinha ido para a faculdade de direito — que ainda estavam lá, profundamente enraizados nele — e as coisas como eram naquele momento.

Foi uma maneira inteiramente nova de olhar para os advogados e seu trabalho.

Nunca fiz um filme sobre F. Lee Bailey, claro, apesar de sua vida certamente ser rica o suficiente para tanto. Nem mesmo fiz um filme sobre advogados a não ser vinte anos mais tarde, quando produzi *O mentiroso*, com Jim Carrey, sobre o que acontece com um advogado que é forçado a falar somente a verdade por 24 horas seguidas.

Para mim, as conversas de curiosidade são apenas o exemplo mais óbvio e mais visível da minha curiosidade. São um tipo de disciplina, como a rotina de exercícios, pois você não consegue falar com pessoas ocupadas e interessantes a menos que aplique esforço constante em convencê-las a ver você.

★ Não existe cura para a curiosidade ★

Mas as conversas de curiosidade são diferentes da malhação no seguinte: eu odeio exercícios, só gosto dos resultados. Adoro as conversas de curiosidade enquanto estão acontecendo. Os resultados — um mês ou uma década mais tarde — são algo com que conto, mas são um bônus.

De fato, tudo que faço é conversar, claro — converso para ganhar a vida. Na verdade, tento escutar para ganhar a vida. Ser produtor de cinema e televisão significa viver uma versão da vida que John Calley me mostrou há quarenta anos. Tenho reuniões, telefonemas e conversas o dia inteiro. Para mim, cada um deles é na verdade uma "conversa de curiosidade". Não uso a curiosidade apenas para conhecer gente famosa ou encontrar bons roteiros. Uso a curiosidade para garantir que os filmes sejam feitos — dentro do orçamento, no prazo e com a narrativa mais poderosa possível. Descobri que, mesmo quando está no comando, com frequência você é muito mais eficiente fazendo perguntas do que dando ordens.

• • •

Meu primeiro emprego de verdade em produção foi na Paramount Studios. Eu tinha um escritório na área de filmagem externa, no que se chamava Prédio do Diretor. Eu tinha 28 anos de idade e havia produzido alguns filmes de sucesso para TV (incluindo os primeiros episódios de uma minissérie de vinte horas sobre os dez mandamentos), e a Paramount assinou um contrato comigo para eu encontrar e produzir filmes.

Meu escritório ficava em uma esquina no terceiro andar, com vista para as calçadas que cruzavam as áreas externas. Eu abria a janela (sim, nas décadas de 1970 e 1980 as janelas de escritório ainda abriam) e assistia os poderosos, famosos e glamourosos passarem.

Eu tinha curiosidade sobre quem estava no local e quem estava trabalhando com quem. Isso foi no tempo em que eu estava empenhado em conhecer alguém novo na indústria do entretenimento todos os dias. Eu gostava de gritar da minha janela para as pessoas que passavam — Howard Koch, corroteirista de *Casablanca*; Michael Eisner, que se tornou CEO da Disney; e Barry Diller, que foi CEO da Paramount e chefe de Michael Eisner.

Um dia, Brandon Tartikoff passou por ali. Ele era o presidente da televisão NBC, no processo de revitalizar a rede com programas como *Hill Street Blues*, *Cheers* e *Miami Vice*. Aos 32 anos, já era uma das pessoas mais poderosas do *show business*.

"Ei Brandon!", gritei. "Aqui em cima!"

Ele me olhou e sorriu. "Uau", ele disse, "você deve estar no comando do mundo daí de cima".

Poucos minutos depois, meu telefone tocou. Era meu chefe, Gary Nardino, responsável pela divisão de TV na Paramount. "Brian, o que pensa que está fazendo, gritando da janela para o presidente da NBC?"

"Só estou interagindo", respondi. "Estamos apenas nos divertindo."

"Não acho que estejamos nos divertindo muito", disse Nardino. "Corta essa".

Ok, nem todos ficavam igualmente encantados com meu estilo naquele tempo. Eu tinha um pouco de medo de Nardino, mas não o suficiente para parar de gritar pela janela.

Um dia, vi Ron Howard passar. Ron já era famoso e bem-sucedido pelos anos de atuação em *The Andy Griffith Show* e *Happy Days*, mas estava tentando dar o salto para a direção. Ao vê-lo passar, pensei: vou conhecer Ron Howard amanhã.

★ Não existe cura para a curiosidade ★

Não gritei para ele pela janela. Esperei até ele voltar para o seu escritório e telefonei. "Ron, aqui é Brian Grazer", eu disse. "Vejo você no estúdio. Sou produtor aqui também. Acho que temos objetivos similares. Vamos nos encontrar e conversar a respeito."

Ron era meio tímido e pareceu surpreso com meu telefonema. Não acho que ele quisesse realmente me conhecer. Eu disse: "Vai ser divertido, descontraído, vamos apenas nos ver, que tal?".

Alguns dias depois, ele veio conversar. Ron estava tentando se tornar um diretor de cinema *mainstream*, e eu estava tentando me tornar um produtor de cinema *mainstream*. Éramos dois caras tentando fazer algo que nunca havíamos feito.

Quando Ron entrou no meu escritório, havia uma aura em torno dele — um fulgor. Depois de conversarmos, saquei que minhas escolhas na vida não eram tão bem pensadas quanto as dele. Ele dava a sensação de possuir uma forte consciência moral. Sei que parece bobo depois de apenas uma única reunião, mas foi minha impressão imediata. E é verdade. É o jeito de ser de Ron hoje — e era seu jeito de ser há 35 anos.

Quando ele entrou, perguntei: "O que você quer ser?".

Ron não queria apenas dirigir, ele queria dirigir um filme adulto. Queria mudar a maneira como as pessoas o viam. Eu não fazia ideia se ele sabia dirigir. Mas decidi imediatamente apostar nele e tentar convencê-lo a trabalhar comigo. Comecei a propor minhas ideias de filme: *Splash — Uma sereia em minha vida* e *Corretores do amor*. Ele definitivamente não queria fazer um filme sobre um homem que se apaixona por uma sereia. Mas gostou da irreverência de *Corretores do amor*, uma comédia adulta sobre dois caras que agenciam um esquema de garotas de programa no necrotério de Nova York. Não é o filme que você esperaria da estrela de *Happy Days*.

43

Na verdade, fizemos dois filmes juntos — *Corretores do amor* e então, apesar da relutância inicial de Ron, *Splash — Uma sereia em minha vida*, que se tornou um enorme sucesso. Depois de trabalharmos tão bem juntos nos dois filmes, formamos nossa empresa, a Imagine Entertainment, e temos sido parceiros artísticos e empresariais nos últimos trinta anos. Ron não só sabia dirigir como se tornou um cineasta magistral. Entre os filmes que fizemos juntos incluem-se *O tiro que não saiu pela culatra*, *Cortina de fogo*, *O código Da Vinci*, *Frost/Nixon*, *Apollo 13* e o vencedor do Oscar *Uma mente brilhante*.

Minha relação com Ron tem sido a mais importante de minha vida, com exceção de minha família. Ele é meu colega de trabalho mais próximo e meu melhor amigo. Decidi conhecer Ron depois de vê-lo da minha janela, e foi minha curiosidade emocional — minha perplexidade sobre o que fazia Ron Howard ser *Ron Howard* — que me conectou a ele. Mais uma vez, em um dos momentos mais importantes de minha vida, seguir minha curiosidade abriu a porta.

Ron e eu somos diferentes em muitos aspectos — especialmente no temperamento. Mas compartilhamos um conjunto de critérios, inclusive sobre como contar uma história e, mais importante, concordamos sobre o que compõe uma grande história. Na verdade, se conheço alguém tão genuinamente curioso quanto eu, este alguém é Ron Howard. Quando estamos em reuniões juntos, ele faz tantas perguntas quanto eu, mas suas perguntas são diferentes e obtêm informações diferentes.

Minhas conversas de curiosidade são algo que fiz com constância e propósito por 35 anos. Você verá muitos exemplos

★ Não existe cura para a curiosidade ★

delas ao longo desse livro. Essas conversas são eventos ou ocasiões em que a curiosidade em si é a motivação.

Todavia, no meu trabalho e vida cotidianos, a curiosidade em si não é uma "ocasião". Pelo contrário. Curiosidade é uma coisa que uso o tempo todo. Estou sempre fazendo perguntas. Para mim, é um instinto. É também, muito nitidamente, uma técnica.

Eu sou chefe — Ron Howard e eu administramos a Imagine juntos —, mas não sou muito de dar ordens. Meu estilo de gestão é fazer perguntas. Se alguém está fazendo algo que não entendo ou de que não gosto, se alguém que trabalha para mim faz algo inesperado, eu começo a fazer perguntas. Fico curioso.

Estou constantemente conhecendo gente nova — às vezes em eventos, mas muitas vezes as pessoas novas estão sentadas no sofá do meu escritório durante o expediente. Não sou particularmente extrovertido, mas tenho que *atuar* como extrovertido o tempo todo. Então, como lido com toda essa gente nova — às vezes uma dúzia em um único dia —, muitas vezes sentada diante de mim ansiosamente, esperando que eu comande a conversa? Faço perguntas, claro. Deixo que falem. Estar interessado em alguém não é tão difícil se você sabe ao menos um pouco sobre ele — e, como descobri, as pessoas adoram falar de seu trabalho, sobre o que sabem, de sua jornada.

A indústria do entretenimento requer uma enorme quantidade de confiança. Você tem que acreditar em suas ideias para filmes e programas de TV, e rapidamente descobre que a resposta mais comum a ser dada por qualquer estúdio, investidor ou executivo é "não". Com frequência fico espantado por conseguirmos fazer qualquer filme que seja. Mas não dá para fazer sucesso em Hollywood caso se fique desencorajado ao ouvir "não", porque, independentemente da qualidade real de suas ideias, ou mesmo da qualidade do seu histórico, você vai ouvir "não" o tempo todo. Tem que se ter confiança para ir adiante. Isso é verdade em todas as partes do mundo — tem que se ter confiança para trabalhar em uma empresa de tecnologia do Vale do Silício ou para tratar pacientes em um hospital no centro da cidade. Minha confiança vem da curiosidade. Sim, fazer perguntas reforça a confiança em suas próprias ideias.

A curiosidade faz outra coisa por mim: ajuda a transpor a ansiedade rotineira do trabalho e da vida.

Preocupo-me, por exemplo, em ficar complacente — a preocupação é de que, aqui em Hollywood, eu acabe em uma bolha, isolado do que se passa no resto do mundo, das mudanças e da evolução. Eu uso a curiosidade para arrebentar a bolha, para manter a complacência cerceada.

Também me preocupo com coisas muito mais comuns — dar palestras, a segurança dos meus filhos, até mesmo com a polícia — policiais me deixam nervoso. Uso a curiosidade quando fico preocupado com algo. Se você sabe que tipo de palestra esperam de você, se entende como os policiais pensam, você verá o medo se dissipar ou será capaz de lidar com ele.

Eu uso a curiosidade como uma ferramenta de gestão.

Uso-a como auxílio para ser extrovertido.

Uso a curiosidade para alimentar minha autoconfiança.

Uso-a para evitar de cair na rotina e para gerenciar minhas próprias preocupações.

Nos próximos capítulos, vou analisar e contar histórias sobre os diferentes tipos de curiosidade, pois acho que podem ser úteis para quase qualquer um.

★ Não existe cura para a curiosidade ★

E a forma mais importante como uso a curiosidade é a seguinte: uso-a para contar histórias. Que, realmente, é a minha profissão. Meu trabalho como produtor é procurar boas histórias para contar, e preciso de gente para escrever essas histórias, para atuar nelas, para dirigi-las. Procuro o dinheiro para produzir essas histórias e ideias para vender as histórias prontas para o público. Mas, para mim, a chave para todos esses elementos é a história em si.

Eis aqui um dos segredos da vida em Hollywood — um segredo que você aprende na aula de literatura da nona série, mas que muita gente esquece. Existem apenas alguns tipos de histórias do mundo: romance, aventura, tragédia, comédia. Temos contado histórias há quatro mil anos. Todas as histórias já foram contadas.

Ainda assim, cá estou eu no meio de uma indústria dedicada a encontrar novas histórias ou pegar velhas histórias e contá-las de um novo jeito, com novos personagens.

Boas histórias requerem criatividade e originalidade, requerem uma centelha real de inspiração. De onde vem a centelha? Acho que a curiosidade é, literalmente, o sílex de onde brota a centelha de inspiração.

Na verdade, narração de histórias e curiosidade são aliadas naturais. A curiosidade é o que impulsiona os seres humanos para o mundo lá fora todos os dias, a fazer perguntas sobre o que está acontecendo ao seu redor, sobre as pessoas e sobre por que elas se comportam da maneira como se comportam. Contar histórias é o ato de revelar as descobertas feitas a partir da curiosidade. A história é uma reportagem da linha de frente da curiosidade.

A narração de histórias nos permite contar a todos o que aprendemos — ou contar a todos a história da nossa aventura, ou das aventuras das pessoas que conhecemos. Da mesma forma, nada atiça tanto a curiosidade quanto uma história bem contada. A curiosidade impulsiona o desejo de continuar a ler aquele livro que você não consegue largar, a curiosidade é o desejo de saber o quanto há de verdade em um filme que você acabou de assistir.

Curiosidade e narração de histórias estão interligadas. Dão poder uma à outra.

O que dá frescor a uma história é o ponto de vista do narrador.

Produzi um filme chamado *Splash — Uma sereia em minha vida*, sobre o que acontece quando um homem se apaixona por uma sereia.

Produzi um filme chamado *Apollo 13*, a história real do que aconteceu quando três astronautas norte-americanos ficaram presos em uma nave espacial em pane.

Produzi um filme chamado *8 Mile — Rua das ilusões*, sobre tentar ser um músico de rap branco no mundo do rap negro de Detroit.

Produzi um filme chamado *O gângster*, sobre um traficante de heroína de Nova York na era Vietnã.

O gângster não é sobre um gângster — é sobre capacidade, talento e determinação.

8 Mile — Rua das ilusões não é sobre o rap, não é sequer sobre raças — é sobre superar a humilhação, sobre respeito, sobre ser um forasteiro.

Apollo 13 não é sobre aeronáutica — é sobre engenhosidade, sobre deixar o pânico de lado em nome da sobrevivência.

E *Splash — Uma sereia em minha vida*, claro que não é sobre sereias — apenas umas mil pessoas em Hollywood me disseram que não podíamos fazer um filme sobre sereias. *Splash* é sobre amor,

★ Não existe cura para a curiosidade ★

sobre encontrar o amor certo para você, ao contrário do amor que os outros escolheriam para você.

Não quero fazer filmes sobre sereias sedutoras ou astronautas corajosos, traficantes de drogas descarados ou músicos batalhadores. Pelo menos, não quero fazer filmes previsíveis *tão somente* sobre essas coisas.

Não quero contar histórias nas quais a "excitação" venha de explosões, efeitos especiais ou cenas de sexo.

Quero contar as melhores histórias que eu possa, histórias memoráveis, que ressoem, que façam o público pensar, que às vezes façam as pessoas verem suas próprias vidas de forma diferente. E, para encontrar essas histórias, para chegar à inspiração, para encontrar aquela centelha de criatividade, o que eu faço é perguntar.

Que tipo de história é esta? Uma comédia? Um mito? Uma aventura?

Qual é o tom certo para esta história?

Por que os personagens desta história estão em apuros?

O que liga os personagens desta história uns aos outros?

O que torna esta história emocionalmente satisfatória?

Quem está contando esta história, e qual é o ponto de vista dessa pessoa? Qual é o seu desafio? Qual é o seu sonho?

E o mais importante: sobre o que é esta história? O enredo é o que acontece na história, mas o enredo não é o *tema* da história.

Não acho que eu seria muito bom no meu trabalho se não fosse curioso. Acho que faria filmes que não seriam muito bons.

Continuo fazendo perguntas até que algo interessante aconteça. Meu talento é saber o suficiente para fazer perguntas e saber quando algo interessante acontece.

O que é muito emocionante na curiosidade é que não importa quem você seja, não importa qual seja o seu trabalho, ou qual a sua paixão. A curiosidade funciona da mesma maneira para todos nós se a usarmos bem.

Você não precisa ser Thomas Edison. Não precisa ser Steve Jobs. Não precisa ser Steven Spielberg. Mas você pode ser "criativo", "inovador", "convincente" e "original" — porque você pode ser curioso.

A curiosidade não ajuda apenas a resolver problemas — não importa quais sejam os problemas. Há um bônus: a curiosidade é gratuita. Você não precisa de um curso de formação. Não precisa de equipamento especial ou de roupas caras, não precisa de um *smartphone* ou de internet de alta velocidade, não precisa do conjunto completo da *Enciclopédia Britânica* (que sempre fiquei um pouco triste por não ter tido).

Você nasce curioso, e, não importa o quanto tenha sido espancada, sua curiosidade está a postos, pronta para ser despertada.

Curiosidade é a ferramenta que deflagra a criatividade. É a técnica que chega à inovação.

CAPÍTULO DOIS

O CHEFE DE POLÍCIA, O MAGNATA DO CINEMA E O PAI DA BOMBA H: PENSANDO COMO OS OUTROS

"Curiosidade... é insubordinação em sua forma mais pura."
— Vladimir Nabokov[20]

Os policiais pediram para eu abaixar minhas calças. Foi quando me perguntei no que havia me metido.

Era 30 de abril de 1992, e eu estava dentro do Parker Center, distinto prédio do centro de Los Angeles e então sede do Departamento de Polícia de LA (LAPD). Eu tinha trabalhado meses para chegar lá — para conhecer Daryl Gates, o lendário chefe de polícia de Los Angeles, um homem conhecido por inventar a unidade SWAT de polícia moderna e por mostrar aos departamentos de polícia das grandes cidades de todo o país como operar de modo mais semelhante a uma unidade paramilitar.

★ Uma Mente Curiosa ★

Na Los Angeles da década de 1980 e início dos anos 1990, ninguém exercia o poder como o chefe Gates. Fiquei fascinado por aquele poder e pela personalidade que era capaz de acumulá-lo e usá-lo. Este tipo de influência é completamente estranho para mim. Não vejo o mundo como uma hierarquia — como uma cadeia de comando. Não quero controlar centenas de pessoas, não vejo a vida, ou o trabalho, como uma oportunidade de ampliar o poder e exercê-lo. Particularmente não gosto de dar ordens, nem de assegurar que as pessoas tenham suficiente respeito ou medo para obedecer minhas ordens. Mas o mundo está cheio de gente tramando em busca de poder — na verdade, o ambiente de trabalho típico está cheio de pessoas assim, e provavelmente precisamos delas.

Por mais fascinado que eu seja por esse tipo de poder, também desconfio dele. Quero entender esse tipo de personalidade como um contador de histórias e também como cidadão. O chefe Gates rendeu uma conversa de curiosidade fantástica — o exemplo perfeito de uma determinada mentalidade do tipo autocrática, bem na minha cidade.

Tentei entrar na agenda de Gates por meses — abrindo caminho através de um assistente, um secretário, um policial, outro policial. Finalmente, no início de 1992, o escritório do chefe Gates marcou um horário para almoçarmos — quatro meses depois.

E então, em 29 de abril de 1992, no dia anterior ao nosso almoço, os quatro policiais de LA gravados em vídeo espancando Rodney King foram absolvidos das acusações, e tiveram início os tumultos por toda Los Angeles.

Acordei naquela manhã de quinta-feira — 30 de abril —, e os confrontos tinham prosseguido a noite toda, com prédios

★ O chefe de polícia, o magnata de cinema e o pai da bomba H ★

incendiados e bairros saqueados. De repente, era o momento mais caótico de Los Angeles em trinta anos, desde os motins de Watts em 1965. O Departamento de Polícia de Los Angeles estava no centro do caos — era a causa e também o responsável por fazê-lo cessar. O chefe Gates personificava completamente a abordagem militarista que, para início de conversa, levou Rodney King a ser surrado.

Pensei que sem dúvida Gates teria muito com que lidar naquela manhã e nosso almoço com certeza seria cancelado. Mas não — o almoço estava de pé.

Quando cheguei, o Parker Center estava fechado. Havia barreiras de concreto na frente, uma linha de policiais e uma série de pontos de verificação para se entrar no edifício. Perguntaram: "Quem você vai ver?". Respondi: "O chefe Daryl Gates".

Apresentei meu documento de identidade. No saguão havia outra linha de policiais. Dois deles me revistaram. Pediram para eu abaixar as calças. Ser revistado até na cueca por dois agentes fardados do LAPD em nada contribuiu para diminuir minha desconfiança da polícia, mas eu queria ver Daryl Gates, tinha tentado vê-lo por mais de um ano. Com as calças puxadas para cima de novo, fui escoltado até o elevador por um par de oficiais que subiram até o sexto andar comigo.

O Parker Center vibrava de energia. Embora o prédio fosse habitado pelo pessoal com quem contamos para permanecer calmos em uma crise, parecia que todo mundo estava um pouco surtado.

Cheguei à suíte do chefe Gates — uma antessala e seu escritório. Todos ao meu redor estavam de uniforme, incluindo o chefe. Ele estava sentado em uma mesa de reuniões comum e prática no escritório, rodeada de cadeiras de madeira semelhantes a cadeiras de sala de aula, com braços. Ele estava sentado de um lado, e tomei um lugar na ponta.

O chefe Gates parecia totalmente descontraído. Lá embaixo, a cidade estava em chamas, explodindo. Naquela mesma tarde, o prefeito decretaria estado de emergência e toque de recolher e chamaria a Guarda Nacional; na noite seguinte, o presidente George H. W. Bush faria um discurso à nação no horário nobre da TV sobre os tumultos em LA.[21]

Mas Daryl Gates estava calmo.

Ele me cumprimentou. "O que você gostaria para o almoço?", perguntou. Eu estava tão nervoso que não sabia o que dizer. "O que o senhor vai pedir?", perguntei.

"Vou pedir um sanduíche de atum", disse Gates.

"Vou querer o mesmo que você." Minutos depois, um assessor entregou dois sanduíches de atum com batatas chips de acompanhamento.

Conversamos enquanto comíamos o atum e as batatas chips. Ou o chefe Gates comia, pelo menos. Não consegui dar mais que algumas mordidas educadas no meu sanduíche.

Enquanto estávamos lá sentados, o principal adjunto de Gates de repente invadiu o escritório, na maior adrenalina, gritando: "Chefe! Chefe! Você está de novo na TV neste momento, a Câmara Municipal diz que você está fora, estão dizendo que vão demiti-lo!".

Gates virou-se para mim. Não titubeou. Absolutamente nada em sua bioquímica mudou. Ele parecia totalmente calmo.

Ele disse, para mim e para o seu lugar-tenente: "Sem chance. Ficarei aqui pelo tempo que eu quiser. Eles nunca irão me botar para fora".

★ O chefe de polícia, o magnata de cinema e o pai da bomba H ★

Ele disse isso de forma totalmente prosaica, como poderia perguntar: "Que tal esse sanduíche de atum?".

O ego e a arrogância de Daryl Gates eram completamente imperturbáveis. Ele estivera em situações intensas a vida inteira. Ele não estava fingindo — para ele, aquilo era a soma total de segundos, minutos, horas, dias, meses de trabalho sob uma pressão incrível e do domínio sobre ela.

Daryl Gates tinha acumulado toda aquela autoridade, a capacidade e a disposição para usá-la. Ele estava totalmente aclimatado. Tinha se tornado inabalável, impermeável à possibilidade de que algo externo à sua própria vontade pudesse mudar sua vida.

Na verdade, a Câmara Municipal havia anunciado sua substituição cerca de duas semanas antes da eclosão dos tumultos de Rodney King. Gates fora reticente sobre quando sairia — e ficou mais teimoso após os tumultos. Não obstante sua fria prepotência comigo, seis semanas depois de nosso almoço ele anunciou sua renúncia formalmente e deixou de ser chefe duas semanas mais tarde.[22]

Meu encontro com Daryl Gates foi estranho, memorável e inquietante. Em outras palavras, foi perfeito.

Algumas pessoas poderiam ter curiosidade sobre por que Gates tornou-se policial e como subiu na carreira até tornar-se chefe de uma força de oito mil policiais.[23] Algumas pessoas poderiam ter curiosidade sobre como um homem como Gates passava seu dia de trabalho — em que ele prestava atenção, em termos do que acontecia na cidade? Algumas pessoas poderiam se perguntar o que ficar imerso unicamente nos crimes de Los Angeles faz com a visão que se tem de uma cidade tão linda e de seu povo.

Minha missão era diferente. Eu queria uma noção da personalidade de alguém que veste o uniforme de chefe com confiança absoluta, que comanda um estado paramilitar em miniatura.

O que um encontro como esse faz por mim?

Em primeiro lugar, fico completamente fora do mundo em que vivo. Por algumas horas, vivi no universo de Daryl Gates — um mundo que não poderia ser mais diferente do meu. Do momento em que abria os olhos pela manhã até o momento em que fechava os olhos à noite, todos os dias, é provável que o chefe Gates lidasse com coisas que eu possivelmente nunca sequer considerei.

As grandes coisas são diferentes — as metas, as prioridades, os valores dele.

As minúcias são diferentes — como ele se veste, como se porta, como fala com as pessoas ao redor.

Daryl Gates e eu morávamos na mesma cidade, ambos estávamos em posições de influência, ambos éramos bem-sucedidos, mas nossos mundos eram tão diferentes que dificilmente se sobrepunham. Nós literalmente olhávamos a mesma cidade de perspectivas completamente diferentes todos os dias.

O que Daryl Gates fez por mim foi o seguinte: ele despedaçou completamente o meu ponto de vista.

• • •

Estamos todos presos em nossa maneira de pensar, presos em nossa maneira de nos relacionarmos com as pessoas. Estamos tão acostumados a ver o mundo do nosso jeito que chegamos a pensar que o mundo é da maneira que o vemos.

Para alguém que ganha a vida achando histórias e contando-as nas telas de cinema e de TV, essa tacanhez pode ser perigosa. E também chata.

★ O chefe de polícia, o magnata de cinema e o pai da bomba H ★

Uma das maneiras mais importantes como uso a curiosidade todos os dias é vendo o mundo através dos olhos de outras pessoas, vendo o mundo de um jeito que do contrário poderia deixar passar. É totalmente refrescante ser lembrado, vez após vez, o quanto o mundo parece diferente para outras pessoas. Se pretendemos contar histórias atraentes e também variadas, precisamos ser capazes de capturar esses pontos de vista.

Considere por um momento apenas alguns dos dezessete filmes que Ron Howard e eu fizemos juntos, que eu produzi e Ron dirigiu.

Temos *Corretores do amor*, com Michael Keaton agenciando um esquema de garotas de programa no necrotério de Nova York, e *O tiro que não saiu pela culatra*, sobre os esforços de Steve Martin para conciliar o trabalho e ser um bom pai.

Temos *Cortina de fogo*, sobre a coragem e a capacidade de julgamento em uma fração de segundo exigidas no trabalho de bombeiro, e *Uma mente brilhante*, a história de John Nash, matemático ganhador do Prêmio Nobel e esquizofrênico.

Temos *O Grinch*, com Jim Carrey dando vida ao Grinch do Dr. Seuss, e *Frost/Nixon*, o drama por trás das entrevistas de TV de David Frost com o ex-presidente Richard Nixon.

Estes seis filmes capturam a perspectiva de um atendente de necrotério depravado, um pai engraçado, mas autocrítico, uma equipe de bombeiros destemidos, um matemático brilhante, mas mentalmente enfermo, um misantropo de desenho animado e um jornalista de TV sagaz entrevistando um ex-presidente desonrado.

É uma gama maravilhosamente variada de personagens, um grande conjunto de pontos de vista, histórias que incluem comédia, aventura e tragédia, cenários que variam da Universidade de Princeton durante a Guerra Fria ao interior de um arranha-céu em chamas na década de 1980, de uma sala gelada do necrotério de Nova York à América suburbana. Eles não parecem ter nada em comum — contudo, não só vieram da mesma companhia, a Imagine, como todos foram criados por Ron e eu.

É esse o tipo de trabalho que quero fazer e sempre quis fazer em Hollywood. Não quero produzir o mesmo filme várias vezes com personagens ligeiramente diferentes — ainda que de modo inconsciente.[24]

Então, como isso se relaciona à minha conversa com o chefe do LADP Daryl Gates?

Curiosidade. Não sei como as outras pessoas na indústria da narração de histórias evitam a perda de frescor, mas meu segredo é a curiosidade — e especificamente as conversas de curiosidade.

A variedade no meu trabalho (e na minha vida) vem da curiosidade. É a ferramenta que uso para procurar personagens e histórias diferentes das que eu seria capaz de imaginar por minha conta. Tem gente que consegue inventar uma pessoa como Daryl Gates. Eu tenho que encontrar alguém assim pessoalmente. Para ver como o mundo se parece da perspectiva de Gates, tenho que ficar na mesma sala com ele. Tenho que fazer perguntas e não só ouvir como ele responde, mas ver como a expressão de seu rosto muda quando ele responde.

As conversas de curiosidade têm uma regra fundamental, uma regra quase que completamente contraditória: nunca mantenho uma conversa de curiosidade a fim de encontrar um filme para fazer. Mantenho as conversas porque estou interessado no assunto ou na pessoa. As conversas me permitiram construir um reservatório de experiências e pontos de vista.

★ O chefe de polícia, o magnata de cinema e o pai da bomba H ★

Muitas vezes, na verdade, não é uma conversa que inspira um filme ou uma ideia — o que acontece é exatamente o contrário. Alguém desenvolve uma ideia para um filme ou programa de TV — alguém da Imagine tem uma inspiração, um roteirista ou diretor chega com uma história, eu tenho uma ideia — e uma conversa de curiosidade que mantive anos antes dá vida a todas as possibilidades daquela ideia para mim.

A riqueza e variedade de quatro décadas de filmes e programas de TV dependem das conversas de curiosidade, mas esses encontros não criam os filmes e programas de TV. A curiosidade me estimula a perseguir minhas paixões. Também me mantém ligado no que está acontecendo na ciência, na música, na cultura popular. Não é só o que está acontecendo que é importante; é a atitude, o humor que rodeiam o que está acontecendo.

Em 2002, quando produzi o filme *8 Mile — Rua das ilusões*, sobre o hip-hop em Detroit, eu tinha 51 anos de idade. O filme teve sua faísca quando vi Eminem apresentar-se certa noite no *Video Music Awards* (VMAs). Eu vinha prestando atenção nos músicos de hip-hop há duas décadas — eu queria fazer um filme sobre o mundo do hip-hop desde a década de 1980, quando conheci Chuck D, do Public Enemy, Slick Rick, Beastie Boys e Russell Simmons, que fundou o selo de hip-hop Def Jam. A ideia para *8 Mile — Rua das ilusões* cristalizou-se quando o produtor musical Jimmy Iovine trouxe Eminem ao escritório e nós três sentamos para conversar sobre como um filme de hip-hop poderia ser. Eminem na verdade passou os primeiros quarenta minutos sem falar. Finalmente eu disse: "Vamos lá! Fale! Anime-se!". Ele me fuzilou com o olhar e então contou a história de sua vida, o conto angustiante de sua criação em Detroit. Isso se tornou a espinha dorsal do filme.

Uma das coisas mais distantes que se pode ter da perspectiva tumultuosa, enérgica, zangada e antissistema da música rap é o mundo careta, perfeitamente compartimentado e analítico da inteligência secreta. Enquanto *8 Mile — Rua das ilusões* era filmado, também estávamos lançando a série de TV *24 horas*, com Kiefer Sutherland interpretando o agente antiterrorismo Jack Bauer, cujo trabalho é frustrar ataques terroristas contra os Estados Unidos. A primeira temporada de *24 horas* já estava em produção quando os ataques terroristas reais de 11 de setembro de 2001 atingiram os Estados Unidos. (A estreia do primeiro episódio foi adiada por um mês em razão da sensibilidade ao rescaldo dos ataques). Adorei a ideia de *24 horas* e me conectei com o senso de imediatismo e urgência que tentamos criar na série, desenvolvendo cada programa em tempo real, com uma hora do episódio sendo uma hora na vida de Jack Bauer.

Eu estava pronto para um programa como *24 horas* — fazia décadas que eu havia sido totalmente capturado pelo mundo das operações secretas e da inteligência. Tive conversas de curiosidade com dois diretores da CIA (William Colby e Bill Casey), com agentes do serviço de inteligência israelense Mossad, das agências de inteligência britânicas MI5 e MI6 e com um cara chamado Michael Scheuer, ex-agente da CIA que, em 1996, ajudou a configurar e dirigir a "Alec Station", unidade secreta da CIA encarregada de rastrear Osama bin Laden antes dos ataques de 11 de setembro.[25]

Fico pasmo com a quantidade de informação que as pessoas da inteligência — gente do alto escalão como Colby e Casey e também da linha de frente como Scheuer — conseguem acumular e manter em seus cérebros. Elas sabem um bocado de como o mundo *realmente* funciona, e o mundo delas é um mundo oculto. Sabem de eventos e relações secretos para o restante de nós, tomam decisões baseadas nesses segredos, muitas vezes decisões de vida ou morte.

Então, fazia anos que eu tinha curiosidade sobre o mundo da inteligência e tentava entender as motivações dos envolvidos e sua psicologia quando apareceu o programa de TV *24 horas*. Eu conhecia bastante daquele mundo e sabia que poderia ser o cenário para uma história atraente.

Este é o benefício das conversas a longo prazo: as coisas que me deixam curioso criam uma rede de informações, contatos e relacionamentos para mim (não muito diferente das redes de informação da inteligência que os agentes mapeiam). Aí, quando a história certa aparece, ela ressoa imediatamente em mim. A curiosidade fez com que eu estivesse aberto a Jack Bauer em *24 horas* e também à antítese de Jack Bauer, o personagem de Eminem em *8 Mile — Rua das ilusões*, o jovem rapper Jimmy "B-Rabbitt" Smith.

E, depois da conversa que tive com Daryl Gates em 30 de abril de 1992, enquanto nossa cidade começava a se revoltar e arder, reconheci de novo aquela personalidade imediatamente quando tive a chance de produzir *J. Edgar*, filme dirigido por Clint Eastwood sobre a carreira do diretor do FBI J. Edgar Hoover. Leonardo DiCaprio interpretou Hoover. Caso não tivesse passado meu tempo tentando entender Gates vinte anos antes, não sei se eu teria captado plenamente a realidade da paranoia controladora de Hoover que Eastwood e DiCaprio infundiram tão bem no clima, na atuação e até mesmo na iluminação de *J. Edgar*.

De fato, foi uma de minhas primeiras conversas que me ensinou em termos inesquecíveis que eu precisava botar ideias na mesa a fim de fazer filmes — uma conversa lá nos tempos da Warner Bros., quando eu tentava conhecer pelo menos uma pessoa nova dentro da indústria do espetáculo todos os dias.

Eu estava há cerca de um ano na Warner Bros. como funcionário jurídico quando descolei uma reunião com Lew Wasserman. Em termos de reuniões, foi um feito assombroso — tão grande para mim aos 23 anos quanto Jonas Salk e Edward Teller seriam décadas mais tarde, talvez maior. Wasserman era o chefe da MCA e foi fundamental na criação da indústria moderna do cinema, incluindo a ideia do que agora consideramos sucesso estrondoso, o *blockbuster*. Quando fui falar com ele em 1975, Wasserman estava na MCA desde 1936. Enquanto comandou a MCA, Wasserman teve sob contrato grandes nomes do cinema, como Bette Davis, Jimmy Stewart, Judy Garland, Henry Fonda, Fred Astaire, Ginger Rogers, Gregory Peck, Gene Kelly, Alfred Hitchcock e Jack Benny.[26] A Universal Pictures da MCA havia produzido *Tubarão* e viria a produzir *E.T. — O extraterrestre, De volta para o futuro* e *Jurassic Park — O parque dos dinossauros*.

No dia em que fui vê-lo, Lew Wasserman era sem dúvida a pessoa mais poderosa da indústria do cinema. Eu era sem dúvida a pessoa menos poderosa. Entrar na agenda de Wasserman, mesmo que por apenas dez minutos, havia me custado meses de cultivo paciente. Eu falava com a assistente dele, Melody, regularmente. A certa altura, perguntei: "Que tal se eu for aí conhecer você?". E fui — apenas para juntar meu rosto e personalidade à minha voz.

Quando finalmente consegui ver Wasserman, eu não estava particularmente intimidado ou nervoso. Estava animado. Para mim, era uma oportunidade de obter alguma sabedoria com um homem que, de fato, começou na indústria de filmes um degrau mais baixo do que eu — como lanterninha num cinema. Ele praticamente havia *inventado* a indústria do cinema. Certamente eu poderia aprender alguma coisa com ele.

Naquele dia, Wasserman ouviu sem muita paciência eu falar da minha determinação em me tornar um produtor de cinema. E me cortou.

"Olha, amigo", disse Wasserman, "você de alguma forma deu jeito de chegar até este escritório. Você é malandro. Posso ver isso. Se existe uma dúzia de maneiras de se tornar um produtor — ter dinheiro, conhecer gente que tem dinheiro, ter conexões, ter amigos no negócio, representar estrelas de cinema ou roteiristas —, se existe uma dúzia de maneiras de se tornar um produtor, você não tem nenhuma delas".

E prosseguiu: "Você **_não_** pode comprar nada — não pode comprar um tratamento de roteiro. Não pode comprar um livro. Não conhece ninguém. Certamente não representa ninguém. Você não tem nenhuma vantagem. Não tem realmente nada. Mas a única maneira pela qual você pode ser qualquer coisa neste negócio é possuir material. É preciso *possuí-lo*".

A seguir, Wasserman pegou um bloco de notas pautado e um lápis da mesa dele. Bateu com o lápis no bloco e os alcançou para mim.

"Aqui está um bloco de notas pautado", disse ele. "Aqui está um lápis nº 2. Coloque o lápis no papel. Vá escrever algo. Você tem que trazer a ideia. Porque você não tem mais nada."

Fiquei atordoado, mas também maravilhado. Wasserman foi a primeira pessoa a transpor o turbilhão do cinema para chegar a mim e dizer: aqui está o que você, Brian Grazer, pode fazer para se tornar um produtor de cinema, para ser mais que um funcionário jurídico.

Escreva.

Caso contrário, você vai ficar só na conversa.

Estive com Wasserman não mais que dez minutos, mas pareceu uma hora. Esse tempo com ele mudou toda a minha perspectiva sobre a indústria do cinema — despedaçou o meu ponto de vista muito juvenil.

O que Wasserman disse foi que, uma vez que ideias eram a moeda de Hollywood, eu tinha que ter algumas ideias. E disse que, uma vez que eu não tinha nenhuma influência nem dinheiro, tinha que confiar na minha própria curiosidade e imaginação como fonte dessas ideias. Minha curiosidade valia mais que dinheiro — porque eu não tinha dinheiro nenhum.

Não fui embora com o bloco de notas e o lápis de Wasserman. Tenho certeza de que fiquei nervoso e os deixei no escritório. Mas fiz exatamente o que ele sugeriu: ocupei-me usando minha curiosidade para criar ideias.

• • •

O que significa ser uma supermodelo como Kate Moss, e em que isso é diferente quanto ao que é preciso para ser uma grande advogada como Gloria Allred?

Se vamos fazer filmes que pareçam autênticos, temos que ser capazes de entender muitos cantos do mundo — lugares que funcionam de forma muito diferente de Hollywood. Como tentei mostrar, uso a curiosidade de modo consciente para romper meu próprio ponto de vista. Procuro gente de outros setores e outras comunidades — física, medicina, moda, negócios, literatura, direito — e então tento aprender algo sobre a habilidade e a personalidade necessárias para se atuar naqueles mundos.

★ O chefe de polícia, o magnata de cinema e o pai da bomba H ★

Mas, se romper o ponto de vista de alguém como eu — um cineasta, um contador de histórias — é útil, considere o quanto é poderoso para pessoas que fazem outros tipos de trabalho.

Com certeza você quer que sua médica seja capaz de olhar o mundo através dos seus olhos — quer que ela entenda seus sintomas, de modo que possa prescrever o que você precisa para se sentir melhor. Também quer um médico curioso sobre novas abordagens de doença, cuidado e cura. Quer alguém que esteja disposto a ouvir os colegas e pesquisadores com pontos de vista que possam romper sua forma confortável e rotineira de cuidar dos pacientes. A medicina está cheia de rupturas que mudaram a maneira típica como os médicos praticavam-na, começando pela lavagem das mãos e saneamento e chegando, à cirurgia laparoscópica e robótica, salvando ou melhorando drasticamente a vida de milhões de pessoas. A medicina é uma das arenas que avança de modo constante, às vezes radical, precisamente por causa da curiosidade, mas você precisa de uma médica disposta a sair de seu ponto de vista confortável a fim de se beneficiar pessoalmente dessas melhorias.

Ser capaz de imaginar a perspectiva dos outros também é uma ferramenta estratégica fundamental para gerir a realidade em toda uma gama de profissões. Queremos que nossos detetives de polícia sejam capazes de imaginar o que os criminosos vão fazer a seguir, queremos que nossos comandantes militares sejam capazes de pensar cinco movimentos à frente dos exércitos adversários, queremos que nossos treinadores de basquete percebam os planos de jogo dos rivais e os neutralizem. Você não pode negociar um acordo de comércio internacional sem ser capaz de entender as necessidades das outras nações.

★ Uma Mente Curiosa ★

Na verdade, os melhores médicos, detetives, generais, treinadores e diplomatas compartilham a habilidade de serem capazes de pensar sobre o mundo a partir do ponto de vista dos rivais. Você não pode simplesmente criar sua própria estratégia, executá-la e esperar para ver o que acontece para daí reagir. Você tem que antecipar o que vai acontecer — primeiro, rompendo seu próprio ponto de vista.

A mesma habilidade, em um contexto completamente diferente, é o que cria produtos que nos deliciam. A genialidade específica de Steve Jobs consiste em projetar um sistema operacional de computador, um tocador de música e um telefone que antecipam como vamos querer usar o computador, ouvir música e nos comunicar — e fornecer o que queremos antes que saibamos. O mesmo é válido para uma máquina de lavar louça ou um controle remoto de TV fáceis de usar.

Quando você se acomoda no banco do motorista de um carro que nunca dirigiu antes, sempre dá para saber se as pessoas que desenharam o painel e os controles tinham um mínimo de curiosidade sobre como os compradores usariam os carros. O indispensável porta-copo não foi criado pelos engenheiros das grandes montadoras europeias — BMW, Mercedes, Audi. O primeiro porta-copos de carro apareceu quando a Dodge lançou sua Caravan em 1983.[27]

Com o iPhone, o porta-copos e a máquina de lavar pratos fácil de usar, o engenheiro fez algo simples, mas muitas vezes ignorado: fez perguntas. Quem vai usar este produto? O que vai acontecer enquanto estiver usando? Em que essa pessoa é diferente de mim?

Empresários bem-sucedidos imaginam-se no lugar de seus clientes. Como treinadores ou generais, eles também imaginam o que seus rivais estão pretendendo para que possam ficar preparados para a concorrência.

Uma parte desta curiosidade disruptiva baseia-se no instinto. Steve Jobs era famoso por desdenhar de grupos focais e testes com consumidores, preferindo aperfeiçoar os produtos com base em seu próprio julgamento.

Uma parte desta curiosidade disruptiva baseia-se na rotina. Durante todas as décadas em que administrou a Wal-Mart — a maior empresa do mundo —, o fundador Sam Walton reunia seus quinhentos principais gerentes em um encontro todas as manhãs de sábado. A "Reunião de Sábado de Manhã", como era chamada, tinha apenas duas finalidades: rever em detalhe as vendas da semana, corredor por corredor através da loja, e fazer a pergunta: o que a concorrência está fazendo e devemos prestar atenção — ou imitar? Em toda reunião de sábado de manhã, Walton pedia aos empregados para se levantarem e falarem de suas visitas, durante a semana de trabalho, às lojas dos concorrentes — K-mart, Zayre, Walgreens, Rite Aid e Sears.

Walton tinha regras rígidas para esta parte da reunião: os participantes só tinham permissão para falar sobre o que os concorrentes estavam fazendo direito. Só tinham permissão para discutir coisas inteligentes e bem executadas que tinham visto. Walton era curioso basicamente sobre por que os clientes desejariam comprar em qualquer outro lugar além do Wal-Mart. Ele não se importava com o que os concorrentes fizessem de *errado* — isso não poderia prejudicá-lo. Mas Walton não queria que eles tivessem mais de uma semana de vantagem ao fazer algo inovador — e ele sabia que não era esperto o suficiente para, sozinho, imaginar todas as formas possíveis de administrar uma loja. Por que tentar adivinhar o que se passava na cabeça dos concorrentes quando poderia simplesmente entrar nas lojas deles?

Uma parte desta curiosidade disruptiva baseia-se em análise sistemática que evolui para a elaboração de pesquisa corporativa e programas de desenvolvimento. H. J. Heinz levou quase três anos para criar o frasco de *ketchup* com a tampa invertida, mas o projeto teve início quando pesquisadores de Heinz acompanharam os consumidores até suas casas e descobriram que eles guardavam as garrafas de vidro de *ketchup*, compridas e estreitas, de cabeça para baixo na porta da geladeira, de forma precária, em um esforço para extrair as últimas porções de molho. O frasco invertido de *ketchup* que Heinz inventou como resultado disso conta com uma inovadora válvula de silicone que veda a embalagem, libera *ketchup* instantaneamente quando o frasco é apertado e fecha de novo imediatamente quando cessa o aperto. O homem que inventou essa válvula é um engenheiro de Michigan chamado Paul Brown, que disse a um repórter: "Eu fiz de conta que era o silicone e o que faria se fosse injetado em um molde". H. J. Heinz estava tão determinado a entender seus clientes que os seguiu da mercearia até em casa. O engenheiro Paul Brown estava tão determinado a resolver um problema que se imaginou como silicone líquido.[28]

A Procter & Gamble, empresa de produtos de consumo por trás do Tide, Bounty, Pampers, CoverGirl, Charmin e Crest, gasta mais de US$ 1 milhão por dia só em pesquisa de consumidor. A P&G está tão determinada a entender como limpamos nossas roupas, nossa cozinha, nosso cabelo e nossos dentes que os pesquisadores da companhia fazem vinte mil estudos por ano com cinco milhões de consumidores tendo por objetivo principal entender nosso comportamento e hábitos. É por isso que o lava roupas Tide agora

★ O chefe de polícia, o magnata de cinema e o pai da bomba H ★

vem em pequenas cápsulas já dosadas — nada de derramar, nada de medir, nada de confusão. É por isso que se pode comprar uma caneta Tide que remove manchas da calça ou da saia enquanto se está usando a roupa.[29]

Minha abordagem da curiosidade é uma mistura das abordagens que vemos de Steve Jobs, de Sam Walton e da Procter & Gamble. De fato, sou curioso por instinto — sou curioso o tempo todo. Se alguém entra no meu escritório para falar sobre a música para um filme ou sobre as revisões de um roteiro de TV e essa pessoa está usando sapatos muito legais, vamos começar falando sobre sapatos.

Eu sei que nem todo mundo se sente naturalmente curioso — ou audacioso o bastante — para perguntar sobre os sapatos de alguém. Mas aqui está o segredo: isso não importa. Você pode usar a curiosidade mesmo que não se considere instintivamente curioso.

Assim que percebi o poder da curiosidade para melhorar minha vida profissional, trabalhei conscientemente para tornar a curiosidade uma parte da minha rotina. Transformei-a em uma disciplina. E então fiz dela um hábito.

Mas existe aqui uma distinção importante entre eu e até mesmo o pessoal hiperanalítico da Procter & Gamble. Na verdade, eu uso a palavra "curiosidade" para falar sobre o que faço, para descrevê-lo e compreendê-lo. O resto do mundo, porém, quase nunca fala sobre esse tipo de investigação usando a palavra "curiosidade".

Mesmo quando estamos sendo curiosos de forma atenta, organizada, intencional, não chamamos de "curiosidade". O treinador e seus assistentes que passam cinco dias assistindo filmes para se preparar para um jogo não são considerados "curiosos" sobre o adversário, mesmo quando mergulham no pensamento, personalidade e estratégia da equipe. As equipes esportivas chamam isso simplesmente de "ver filme". O pessoal das campanhas políticas chama sua forma de curiosidade de "pesquisa sobre a oposição". Empresas que gastam enormes somas de dinheiro e dispendem um enorme esforço para entender o comportamento de seus clientes e satisfazer suas necessidades não estão "curiosas" sobre os clientes. Usam expressões como "pesquisa de consumidor" ou dizem que desenvolveram um "processo de inovação". (Se contrataram consultores caros para ajudá-las a ser curiosas, dizem que desenvolveram um "roteiro do processo de inovação estratégica").

Em 2011, a *Harvard Business Review* publicou um estudo de nove páginas sobre os esforços de inovação e criatividade da Procter & Gamble. A história tem a coautoria do diretor-executivo de tecnologia da P&G, e é literalmente do tamanho deste capítulo até aqui — cinco mil palavras. Os autores dizem que querem descrever o esforço da P&G para "sistematizar a casualidade que com tanta frequência deflagra a criação de novos negócios". Em Hollywood, chamamos isso de "almoço". Mas, "sistematizar a casualidade" — encontrar maneiras de descobrir grandes ideias — é exatamente o que qualquer organização inteligente tenta fazer. Sam Walton estava "sistematizando a casualidade" nas reuniões de sábado de manhã. Eu tenho "sistematizado a casualidade" com minhas conversas de curiosidade.

Na história da *Harvard Business Review* sobre a P&G, a palavra "inovação" aparece 65 vezes. A palavra "curiosidade": nem uma única vez.[30]

É uma loucura. Simplesmente não damos crédito à curiosidade. Não damos crédito à curiosidade nem mesmo quando estamos usando-a, descrevendo-a e a exaltando.

★ O chefe de polícia, o magnata de cinema e o pai da bomba H ★

A forma como falamos sobre isso é reveladora e importante. Você não pode compreender, apreciar e cultivar algo se nem mesmo reconhecer que a coisa existe. Como podemos ensinar as crianças a serem curiosas se não usamos a palavra curiosidade? Como podemos encorajar a curiosidade no trabalho se não dizemos às pessoas para serem curiosas?

Não é um argumento trivial semântico.

Vivemos em uma sociedade cada vez mais obcecada com "inovação" e "criatividade".

Há vinte anos, em 1995, "inovação" era mencionada cerca de oitenta vezes por dia na mídia dos EUA, "criatividade" era mencionada noventa vezes por dia.

Apenas cinco anos mais tarde, as menções a "inovação" tinham subido para 260 por dia, "criatividade" aparecia 170 vezes por dia.

Em 2010, "inovação" aparecia 660 vezes por dia, "criatividade" vinha logo atrás com 550 menções por dia.

"Curiosidade" registra apenas um quarto dessas menções na mídia diária — em 2010, cerca de 160 vezes por dia. Ou seja, "curiosidade" hoje em dia tem tantas menções quanto "criatividade" e "inovação" há uma década.[31]

As grandes universidades dos EUA mantêm bancos de dados *on-line* de seus professores "especialistas"; portanto, mídia e empresas podem consultá-los. O MIT lista nove professores que se consideram especialistas em criatividade e 27 especialistas em inovação. Especialistas do MIT em curiosidade? Zero. Stanford lista quatro docentes especialistas em criatividade e 21 em inovação. Docentes de Stanford oferecendo-se para falar sobre curiosidade? Zero.

É essencial cultivar criatividade e inovação, claro. Foi isso que levou nossa economia em frente, é isso que melhora tão dramaticamente a maneira como vivemos — em tudo, de telefones a vendas no varejo, de medicina a entretenimento, de viagens a educação.

Mas, por mais indispensáveis que sejam, "criatividade" e "inovação" são difíceis de medir e quase impossíveis de ensinar. (Alguma vez você conheceu alguém que não tinha a capacidade de ser criativo ou inovador, aí fez um curso e se tornou criativo e inovador?) Na verdade, muitas vezes não concordamos sobre o que constitui uma ideia "criativa" ou "inovadora". Nada é tão comum quanto eu aparecer com uma inovação que considero brilhante e você achar idiota.

Acho que esse foco intenso em ser criativo e inovador pode ser contraproducente. Uma pessoa típica que trabalha num cubículo pode não pensar em si mesma como "criativa" ou "inovadora". Aqueles de nós que não trabalham no departamento de pesquisa e desenvolvimento corporativo podem muito bem ter certeza de que "inovação" não é nosso trabalho — porque logo ali no outro prédio fica o "departamento de inovação". Na verdade, quer nos consideremos criativos ou não, na maioria dos locais de trabalho é bastante claro que a criatividade não faz parte do nosso serviço — por isso os atendentes de serviço ao consumidor leem textos prontos quando ligamos para o 0800, sem realmente conversar conosco.

Ao contrário da criatividade e da inovação, no entanto, a curiosidade é por natureza mais acessível, mais democrática, mais fácil de ver e também mais fácil de fazer.

A partir da minha experiência apresentando centenas de ideias de filme para executivos de estúdios, sei com que frequência as pessoas dizem "não" para ideias brilhantes — não só a maior parte

⋆ *O chefe de polícia, o magnata de cinema e o pai da bomba H* ⋆

do tempo, mas 90% do tempo. É preciso estômago forte para absorver toda a rejeição, e não acho que a maioria das pessoas sinta que é paga para apresentar ideias que são rejeitadas. (Na indústria do cinema, infelizmente, não recebemos pagamento algum para ter nossas ideias rejeitadas, pois a única forma de chegar ao "sim" é por meio de um monte de "nãos".)

Aqui está o segredo que parecemos não entender, a conexão maravilhosa que não estamos fazendo: curiosidade é a ferramenta que deflagra a criatividade. Curiosidade é a técnica que chega à inovação.

Perguntas criam uma mentalidade de inovação e criatividade. A curiosidade presume que pode haver algo novo lá fora. A curiosidade presume que pode haver algo externo à nossa própria experiência lá fora. A curiosidade abre a possibilidade de que a forma como estamos fazendo isso agora não seja a única, nem mesmo a melhor.

No capítulo 1, eu disse que curiosidade é o sílex que gera as faíscas de grandes ideias para histórias. Mas a verdade é muito mais ampla: a curiosidade não é só a faísca para histórias, ela acende a inspiração em qualquer trabalho que você faça.

Você sempre pode ser curioso. E a curiosidade pode puxá-lo em frente até você encontrar uma grande ideia.

Sam Walton não andava pelos corredores de sua própria loja tentando ficar inspirado para fazer algo novo. Isso seria tão útil quanto olhar dentro dos caminhões vazios da Wal-Mart à procura de inspiração. Ele precisava de uma perspectiva diferente do mundo — tal como eu encontrei com o chefe Gates ou Lew Wasserman. Sam Walton quis inovar no mais comum dos cenários — uma loja. Ele começou sendo curioso sobre todos os outros no varejo.

Ele fazia a mesma pergunta continuamente: o que nossos concorrentes estão fazendo?

Não fico sentado no meu escritório, olhando Beverly Hills pela janela, esperando que ideias de filmes esvoacem para dentro do meu campo de visão. Eu falo com outras pessoas. Busco a perspectiva, a experiência e as histórias delas e, fazendo isso, multiplico mil vezes a minha própria experiência.

O que eu faço, na verdade, é continuar perguntando até que algo interessante aconteça.

Isso é algo que todos nós podemos fazer. Podemos ensinar as pessoas a fazer boas perguntas, podemos ensinar as pessoas a ouvir as respostas e podemos ensinar as pessoas a usar as respostas para a pergunta seguinte. O primeiro passo, de fato, é tratar as perguntas em si como valiosas, como dignas de serem respondidas — a começar por nossos filhos. Se você trata a pergunta com respeito, a pessoa que pergunta quase sempre ouve a resposta com respeito (mesmo que não respeite a resposta).

Ser curioso e fazer perguntas cria um comprometimento. Usar a curiosidade para romper o seu próprio ponto de vista quase sempre vale a pena, mesmo quando não funciona da forma esperada.

Isso faz parte da diversão da curiosidade — é de se esperar ser surpreendido. Se você só obtém as respostas que antecipa, você não está sendo muito curioso. Quando obtém respostas surpreendentes, você sabe que rompeu seu ponto de vista. Mas ser surpreendido também pode ser desconfortável, e eu sei bem como é isso.

Como eu disse, Edward Teller foi uma das pessoas que decidi conhecer para ter uma conversa de curiosidade quando estava recém-começando na indústria do cinema. Teller foi uma figura imponente na minha juventude, embora não necessariamente no

★ O chefe de polícia, o magnata de cinema e o pai da bomba H ★

bom sentido. Ele era um físico teórico brilhante que trabalhou no Projeto Manhattan, desenvolvendo a primeira bomba atômica. Uma das primeiras preocupações quanto à bomba foi que a reação nuclear iniciada por uma bomba atômica pudesse não parar nunca — que uma única bomba pudesse consumir toda a Terra. Foram os cálculos de Teller que provaram que uma bomba atômica, embora enormemente destrutiva, teria impacto limitado.

Teller foi adiante impulsionando a criação da bomba de hidrogênio — mil vezes mais poderosa que a bomba atômica. Tornou-se diretor do principal centro de pesquisa de armas nucleares do país, o Laboratório Lawrence Livermore, na Califórnia. Ele era mais do que brilhante, era um vigoroso defensor de um sistema de defesa forte e ardoroso quanto à importância das armas nucleares para tal sistema.

Na época em que eu trabalhava como produtor de cinema, Teller estava nos seus setenta anos, mas havia encontrado um novo papel defendendo e ajudando o controverso projeto "Star Wars" do presidente Ronald Reagan — um escudo de defesa de mísseis formalmente chamado de Iniciativa de Defesa Estratégica. Teller era uma personalidade intratável, difícil — havia muitos boatos de que ele fora a inspiração para o personagem-título "Dr. Fantástico" do filme de 1964 de Stanley Kubrick.

Eu queria conhecê-lo simplesmente porque queria entender a personalidade de alguém que pudesse ser apaixonado pela invenção da arma mais destrutiva na história da humanidade.

Não foi surpresa ter sido quase impossível conseguir agendar um encontro com Teller. Seu escritório simplesmente não respondia os telefonemas. Escrevi cartas. Escrevi cartas de notificação. Ofereci-me para ir até ele. Em 1987, finalmente recebi uma ligação um dia.

O Dr. Teller — então com 79 anos e trabalhando no "Star Wars" — daria uma passada por Los Angeles. Ele faria uma escala de poucas horas e passaria essas horas em um hotel perto do aeroporto. Eu poderia vê-lo por uma hora, se quisesse ir ao hotel.

Dois oficiais militares me esperavam no saguão do hotel, em uniformes de cerimônia. Eles subiram comigo. Teller tinha uma suíte de dois quartos contíguos, e havia outros funcionários militares e assessores. Não o vi sozinho.

Desde o início, ele me pareceu muito assustador.

Ele era baixo. E indiferente. Não parecia absolutamente interessado na minha presença. Você sabe, quando as pessoas estão interessadas em você, ou quando simplesmente querem ser educadas, elas irradiam alguma energia. Daryl Gates certamente tinha algum tipo de energia.

Teller não.

Essa indiferença dificulta conversar com alguém, é claro.

Ele parecia saber que eu vinha tentando marcar um encontro com ele há um ano. Isso o irritava. Ele começou mal-humorado, e não avançamos muito além disso.

Ele era evidentemente muito inteligente, professoral, mas de um jeito arrogante. Tentei perguntar sobre seu trabalho com armas, mas não fui muito longe. O que ele disse foi: "Eu avanço tecnologias tanto quanto possam ser avançadas. E essa é a minha missão".

Em nossa conversa, ele ostentou uma barreira semelhante à que falava em criar sobre o continente norte-americano. Havia uma parede de vidro invisível entre nós.

Ele enviou uma mensagem muito clara: eu não era importante para ele. Eu estava desperdiçando o tempo dele.

★ O chefe de polícia, o magnata de cinema e o pai da bomba H ★

Para ser honesto, o que você espera quando se encontra com alguém como Teller — que teve esse impacto incrível sobre os acontecimentos que moldaram o mundo —, o que você espera, realmente, é algum tipo de segredo.

O segredo da segurança global, ou da segurança norte-americana.

O segredo de quem ele é.

Você espera algum tipo de *insight* — um gesto, uma atitude.

Essa expectativa é um pouco grandiosa, claro. É difícil obter segredos de alguém com quem você passa 45 minutos.

Mas senti que não obtive nada além do desprezo de Teller.

Perguntei sobre televisão. Ele disse: "Não faço isso".

Perguntei sobre cinema. Ele disse: "Não vejo filmes. O último filme que vi foi há cinquenta anos. Foi *Dumbo*".

O grande físico nuclear tinha visto uma de minhas preciosas imagens em movimento uma vez, meio século antes. *Dumbo*. Um desenho animado sobre um elefante voador.

Na verdade, ele estava dizendo que achava que o que eu fazia não tinha qualquer valor. Ele com certeza não ligava para a narração de histórias. Não era só que não se importasse — ele desprezava. Nesse sentido, fui meio que ofendido por ele. Por que se dar ao trabalho de me ver, só para ser rude comigo? Mas na real fiquei ofendido apenas em uma parte da minha mente. Na maior parte, fiquei fascinado pelo desprezo dele.

No fim das contas, ele com certeza qualificou-se como disruptivo — ele realmente me tocou de uma maneira que nunca vou esquecer.

Teller era claramente um patriota apaixonado — quase um fanático. Ele se preocupava com os Estados Unidos, se preocupava com a liberdade e, à sua maneira, preocupava-se com a humanidade.

Mas o que era muito interessante, quando parei para pensar a respeito, é que ele próprio parecia carecer de humanidade, parecia imune à conexão humana comum.

Quando conheci Teller, eu já estava bem estabelecido como produtor de cinema. Mas pode ter certeza de que você sai de um encontro assim humilhado. A sensação era de ter levado um chute na barriga.

Isso não significa que tenha me arrependido de perseguir Edward Teller por um ano. De uma maneira que eu não esperava, sua personalidade meio que combinava com suas realizações. Mas essa é a coisa da curiosidade — você nem sempre consegue o que acha que vai conseguir.

E igualmente importante: você não necessariamente sabe como sua curiosidade será recebida. Nem todo mundo aprecia ser alvo de curiosidade, e isso também é uma maneira de ver o mundo do ponto de vista de outra pessoa.

Na verdade, porém, consegui exatamente o que eu esperava: tive uma vívida noção de Edward Teller. Captei exatamente a mensagem que o Dr. Teller emitiu sobre nossos lugares relativos no mundo.

A curiosidade é arriscada. Mas isso é bom. É assim que você sabe o quanto ela é valiosa.

Somos todos contadores de histórias.

CAPÍTULO TRÊS

A CURIOSIDADE DENTRO DA HISTÓRIA

"Mentes humanas rendem-se impotentes à sucção da história."
— Jonathan Gottschall[32]

Quando Veronica de Negri narra a história de sua vida, é difícil conectar os detalhes do que se ouve com a mulher tranquila e serena que está ali do seu lado.

De Negri era contadora de uma empresa de papel, vivendo com o marido e dois filhos pequenos em Valparaíso, uma cidade portuária histórica de quinhentos anos no Chile, tão bonita que seu apelido é "a Joia do Pacífico".

No tempo livre, de Negri trabalhava com sindicatos e grupos de mulheres em Valparaíso e, na década de 1970, também trabalhou para o governo do presidente democraticamente eleito do Chile, Salvador Allende.

Allende foi deposto em 1973 pelo homem que havia nomeado para liderar o exército do Chile, general Augusto Pinochet. O golpe foi tão violento que a certa altura aviões da força aérea chilena bombardearam o palácio presidencial da nação em Santiago, em um esforço para desalojar Allende. Pinochet assumiu o poder em 11 de setembro de 1973 e imediatamente começou a juntar e "dar sumiço" em chilenos que via como adversários ou até mesmo potenciais adversários.

Talvez por causa do trabalho sindical ou do trabalho para Allende, oficiais da inteligência da marinha chilena finalmente vieram atrás de Veronica de Negri em 1975, levando-a de seu apartamento para uma base da inteligência da marinha em Valparaíso. Ela tinha 29 anos de idade, seus filhos tinham oito e dois anos. O marido dela também foi levado naquele dia.

Na época, as forças de Pinochet estavam prendendo, aprisionando e torturando tantos chilenos — quarenta mil no total — que o ditador teve que montar uma rede de campos de concentração em todo Chile para lidar com eles.

De Negri foi detida primeiramente na base da marinha em Valparaíso. Depois de vários meses, foi transferida para um campo de concentração em Santiago. Em ambos os locais, ela foi torturada sistemática, implacável e quase cientificamente — dia após dia durante meses.

Conheci Veronica de Negri no mais improvável dos cenários: a praia de Malibu, na Califórnia. No final da década de 1980, eu morava em Malibu, e entre meus vizinhos estavam o músico Sting e a esposa dele, Trudie Styler. Certa tarde de domingo, eles convidaram um grupinho para jantar na casa à beira-mar.

"Quero que você conheça uma pessoa", Sting me disse. "Veronica de Negri. Ela foi presa e torturada no Chile por Pinochet." Sting estava trabalhando com a Anistia Internacional e acabara conhecendo Veronica muito bem por intermédio da organização.

★ A curiosidade dentro da história ★

Àquela altura, Veronica havia se mudado para Washington, D.C. Depois de ser libertada do campo de concentração em Santiago e ser detida de novo várias vezes para lembrar que estava sendo vigiada, ela foi expulsa do Chile e se reuniu em Washington com os filhos, que estavam no ensino médio. Quando nos conhecemos naquele dia na casa de Sting, o torturador de Veronica, Pinochet, ainda estava no poder no Chile.

Começamos a conversar e depois fomos dar uma caminhada na praia.

Na maior parte do tempo em que esteve no cárcere, Veronica ficou vendada. Seus torturadores eram devastadoramente inteligentes. A maioria do que infligiram a Veronica foi realizado episódica e erraticamente. Então, mesmo quando não estava sendo torturada ativamente, ela vivia em um estado de medo doentio porque sabia que a qualquer momento a porta da cela poderia ser escancarada e ela poderia ser levada para outra sessão. Não importava que horas fossem. Não importava que a última sessão de tortura tivesse terminado há uma hora ou há três dias. A próxima sessão sempre poderia acontecer no instante seguinte.

Os homens de Pinochet maquinavam para garantir que Veronica fosse torturada psicologicamente mesmo quando no momento não dispusessem de pessoal para torturá-la fisicamente.

Eles usavam a mesma técnica para tornar a tortura em si mais insuportável. Veronica era submetida a uma coisa que chamou de "submarinos". Havia um tanque cheio com a água mais repugnante possível, misturada com urina, fezes e outros tipos de detrito. Veronica era amarrada, e a corda que a prendia era passada por uma polia na parte inferior do tanque. Ela era mantida logo acima da superfície do tanque e então puxada para baixo, onde tinha que segurar a respiração até deixarem-na vir à tona em meio ao fedor do que havia na água. O tempo debaixo d'água nunca era o mesmo, o tempo na superfície para recuperar o fôlego nunca era o mesmo.

Ela contou que a imprevisibilidade era quase pior do que tudo que faziam com ela. Quanto tempo vou poder respirar? Quanto tempo terei que segurar o fôlego, será que consigo segurar minha respiração por tanto tempo?

Uma coisa é ouvir sobre a crueldade humana nas notícias, ou ler sobre ela. Mas caminhar ao lado de Veronica de Negri e ouvir o que outros seres humanos haviam feito com ela foi uma experiência diferente de qualquer outra que eu tivera antes.

Como uma pessoa faz aquilo a outra pessoa?

De onde vem a força para sobreviver?

É preciso uma coragem enorme para ser capaz simplesmente de recontar essa história a um estranho — para reviver o que foi feito e também para absorver a reação da pessoa ao ouvir a história.

Fiquei completamente mesmerizado por Veronica devido a essa coragem e também à sua personalidade e dignidade. Sua recusa em ficar em silêncio. Ela abriu-me um mundo do qual eu nunca teria ficado ciente e todo um conjunto de qualidades e comportamentos humanos sobre os quais eu nunca teria pensado.

Veronica de Negri proporcionou-me algo crucial além dos detalhes abrasadores de sua história. Ela me deu uma sensação completamente nova de superação humana.

Um dos conceitos que realmente me empolga é o que considero "mestria". Quero saber o que é preciso para ser realmente mestre em algo — não apenas para ser um policial, mas para ser o chefe; não apenas para ser um agente de inteligência, mas para ser chefe da CIA; não apenas para ser um advogado que atua em

★ A curiosidade dentro da história ★

julgamentos, mas para ser F. Lee Bailey. Este é um fio condutor silencioso de minha curiosidade e também um tema presente de alguma forma em cada um dos meus filmes. As histórias tocam toda a gama da experiência humana, assim espero, mas a luta central frequentemente trata da realização, ou da luta pela realização. Que tal é o sucesso, ou qual a *sensação* de sucesso para um pai ou um presidente dos Estados Unidos, para um músico de rap ou um matemático?

Veronica de Negri realmente despedaçou a questão de "mestria" para mim. De todos que já conheci, ela enfrentou o maior e mais temível desafio pessoal. Mas foi também o mais básico. Ela não estava tentando resolver uma equação matemática. Estava tentando sobreviver. Estava tentando sobreviver diante de gente inteligente e malvada que queria destruí-la.

Para Veronica, não havia ajuda. Não havia resgate. Ela enfrentou o adversário mais horrível — seres humanos bem armados. A aposta era total: sua sanidade e sobrevivência física. E a única pessoa a quem ela podia recorrer era a si mesma. Ela teve que procurar dentro de si as habilidades de que precisava para suportar o que lhe faziam. Não havia mais nada à disposição — nem mesmo uma visão do que ela estava enfrentando, além da venda.

Encontrei-me e conversei com Veronica várias vezes depois do primeiro contato na casa de Sting. Com o tempo, vim a entender que ela havia encontrado dentro de si uma capacidade de que a maioria de nós nunca vai à procura, muito menos depende.

A única forma de perseverar é ter a capacidade de separar-se calmamente do que está sendo feito com você.

Veronica descobriu que, para resistir à tortura, tinha que se retirar da realidade do que era feito com ela. Você desacelera o cérebro, desacelera a si mesmo. As pessoas falam sobre estar no "fluxo" quando escrevem, quando surfam, escalam uma rocha ou correm, quando perdem-se fazendo algo totalmente absorvente.

O que Veronica me contou foi que, para sobreviver à tortura hora após hora, todos os dias durante oito meses, ela teve que entrar em um estado de fluxo também, mas no estado de fluxo de uma realidade alternativa, que tinha sua própria narrativa. Foi assim que ela sobreviveu. Ela não conseguia controlar o mundo físico, mas podia controlar sua reação psicológica.

É um mecanismo, e foi como ela se salvou. Na verdade, é um mecanismo de contar histórias. Você tem que encontrar uma história diferente para contar para si mesmo e tirá-lo da tortura.

A história de Veronica é tão impactante que tentamos capturá-la em *Closet Land*. O filme tem apenas dois personagens — uma mulher e seu torturador. É para um público pequeno porque é muito intenso, muito implacável. Mas eu quis fazer um filme que leve os espectadores para dentro da mente de alguém que está sendo torturado. A tortura ocorre em todo o planeta, e eu queria que as pessoas pudessem ver isso.

O que aprendi com Veronica, com seu senso de mestria, conecta-se à psicologia dos personagens de muitos outros filmes e programas. Quando li pela primeira vez o relato do astronauta Jim Lovell sobre a explosão e a crise na cápsula da Apollo 13, realmente não peguei os detalhes da nave espacial, da mecânica orbital, das questões referentes a combustível e dióxido de carbono e a sair da atmosfera terrestre. O que captei imediatamente foi a sensação transmitida por Lovell de estar preso, de estar em um cenário físico e também em um cenário de vida ou morte, onde ele e seus colegas astronautas tinham perdido o controle. Eles tiveram que adotar uma mentalidade como a de Veronica — tiveram que criar uma narrativa alternativa — para ter a força psicológica para voltar para a Terra. Acho que esse filme também deve muito a Veronica de Negri.

Você poderia esperar que alguém que sobreviveu ao que Veronica passou ficasse desencorajada, cínica, desprovida de uma certa esperança básica.

Ela não *é* assim de forma alguma. Ela é vibrante. É uma pessoa de intelecto e, obviamente, uma pessoa de força interior. Não é alegre ou leve, mas tem muita energia, uma energia feroz.

E tem essa incrível capacidade humana de confiar em sua própria força psíquica para sobreviver. Isso é o que é tão crucial para mim a respeito da constituição emocional das pessoas. O que salvou Veronica foi seu caráter, sua personalidade, a história que ela foi capaz de contar para si mesma.

...

A curiosidade conecta você à realidade.

Eu vivo em dois mundos sobrepostos que muitas vezes estão distantes da realidade: o mundo do entretenimento de Hollywood e o mundo da narrativa. Em Hollywood, temos a sensação de estar no centro do mundo. Nosso trabalho criativo emociona a todos nos Estados Unidos, bem como grande parte do resto do mundo; lidamos com atores e diretores famosos e, em Hollywood, poderosos — poderosos no sentido de que podem exigir grandes salários, comandar exércitos de funcionários e técnicos, escolher seu trabalho, criar novos mundos do zero e especificar todo tipo de elementos peculiares a respeito de coisas como a comida que vão comer. Nossos projetos envolvem enormes somas de dinheiro — tanto os dólares iniciais para se fazer um projeto, quanto os dólares que estes projetos rendem quando fazem sucesso nos cinemas e na TV. Os milhões frequentemente são na casa dos três dígitos, e agora estamos firmemente na era das franquias dos filmes de bilhões de dólares e na era das carreiras de atores de bilhões de dólares.[33]

Assim, Hollywood realmente tem uma enorme noção da importância do que fazemos, e nós temos uma enorme noção da importância das pessoas que fazem isso. É possível perder a noção da diferença entre as histórias que contamos — com toda vivacidade e densidade que nos é possível — e o mundo real. Pois, embora o dinheiro seja verdadeiro — os riscos são reais e com muita frequência são grandes —, o resto do *showbiz* é faz de conta, claro.

Uma comédia sobre o necrotério da cidade de Nova York — *Corretores do amor* — não envolve nenhum cadáver.

Um drama de TV sobre a produção de um noticiário esportivo — *Sports Night* — não envolve eventos esportivos, nem figuras dos esportes, nem notícias.

Um filme sobre a realidade brutal do tráfico de drogas — *O gângster* — não envolve drogas de verdade ou brutalidade.

Mesmo em uma grande história de amor, normalmente ninguém se apaixona.

Igualmente importante é que a narrativa em si não é a realidade. Isso pode parecer óbvio, mas não é de modo algum. Quando chega em casa do trabalho e conta "a história" do seu dia para a esposa ou marido, você remodela aquelas nove horas para realçar o drama, tornar seu papel o papel principal, deixar de fora as partes chatas (que podem corresponder a oito das nove horas). E você está contando uma história real sobre o seu dia real.

★ A curiosidade dentro da história ★

No cinema e na TV, estamos sempre tentando contar histórias que sejam verdadeiras — seja *Frost/Nixon*, sobre pessoas reais e fatos reais, ou *O Grinch*, sobre a fantasia de uma criança. A história precisa ser "verdadeira" em termos emocionais, verdadeira em termos temáticos, não necessariamente verdadeira em termos factuais. Para qualquer filme que pretenda abordar um conjunto de eventos reais, normalmente existe hoje um *site* detalhando todas as coisas que fizemos "errado" — você pode ler sobre os distanciamentos da realidade em *Gravidade* e *Capitão Phillips*. Lançamos *Apollo 13* no verão de 1995 — antes de haver o Google na internet —, mas você pode ler sobre como o filme difere da história factual do resgate em uma meia dúzia de *websites*.[34] Você pode ler até mesmo sobre as diferenças entre o filme *Noé* de 2014, com Russell Crowe, e o Noé bíblico, ou seja, as diferenças entre o filme e a história "real" de uma figura mítica bíblica.[35]

A verdade é que queremos contar grandes histórias, histórias cativantes, e por isso ajustamos as narrativas o tempo todo — na verdade, quando fazemos um filme ou programa de TV, ajustamos as histórias todos os dias enquanto estamos fazendo —, a fim de obter mais imediatismo ou movimentar as coisas mais rapidamente. Ajustamos para fazer com que pareça mais realista, mesmo quando na verdade nos afastamos dos "fatos". Somos todos contadores de histórias e ali pela terceira série começamos a aprender a diferença entre uma história verdadeira e uma história factualmente correta.

É muito fácil ser apanhado pela urgência e carisma de Hollywood. É um mundo hermético (não ajuda estarmos na Califórnia, muito longe das grandes tomadas de decisão de Washington, D.C., e de Nova York). É muito fácil ser apanhado pelo mundo da narrativa episódica.

A curiosidade me puxa de volta à realidade. Fazer perguntas para pessoas reais, com vidas fora da indústria do cinema, é uma lembrança estimulante de todos os mundos que existem além de Hollywood.

Você pode fazer quaisquer filmes que deseje sobre guerra, ou operações clandestinas, ou revoluções, ou presídios. São apenas filmes. O que foi feito a Veronica de Negri não foi um filme, foi real — sua dor e sua sobrevivência.

• • •

Quando você assiste a um filme completamente absorvente, o que acontece? Falo de um daqueles filmes em que você perde a noção do tempo, tudo desaparece, exceto o destino dos personagens e o mundo deles na tela. Um daqueles filmes em que depois você sai andando pela calçada meio zonzo, reentrando na realidade, pensando: nossa, é uma tarde de domingo de primavera. Ufa.

Quando você se esbalda assistindo em sequência os últimos episódios de *Arrested Development* ou *House of Cards*, o que lhe faz apertar o botão PLAY mais uma vez, seis vezes seguidas?

Quando lê um livro, o que lhe mantém sentado na cadeira, virando páginas muito depois do horário em que deveria ter largado o livro e ido dormir?

A National Public Radio sabe exatamente o quanto a narrativa radiofônica pode ser fascinante. A NPR descobriu que as pessoas muitas vezes estacionam, desligam o motor e aí permanecem sentadas dentro do carro na garagem, esperando para ouvir até o fim uma determinada história que ainda não acabou. A NPR chama isso de "momentos na garagem".[36] Por que alguém consideraria mais importante ouvir os últimos três minutos de uma história da NPR antes de entrar para jantar com a família?

★ A curiosidade dentro da história ★

Curiosidade.

A curiosidade mantém você virando as páginas do livro, arrasta-o para assistir a mais um episódio, faz com que você perca a noção de dia, hora e tempo quando está sentado no cinema. A curiosidade cria os "momentos na garagem" da NPR.[37]

A curiosidade é parte vital de uma grande narrativa — o poder de uma história de agarrar sua atenção, de criar a atração irresistível de uma simples pergunta: o que vai acontecer a seguir?

Boas histórias têm todos os tipos de elementos poderosos. Personagens fascinantes enredados em dilemas reveladores, significativos ou dramáticos. Atuação talentosa, bom roteiro e falas intensas. Tramas surpreendentes, com grande ritmo e cenários que transportam para o local da história. Criam um mundo para dentro do qual você pode escorregar facilmente — e então perder-se.

Mas tudo a serviço de um objetivo: fazer você se importar. Você pode dizer que se importa com os personagens ou com a história, mas tudo com que realmente se importa é o que vai acontecer a seguir. O que vai acontecer no final? Como o emaranhado de linhas do enredo será desembaraçado? Como o emaranhado de relações humanas será desembaraçado?

Uma história pode ou não dar o seu recado de forma memorável. Pode ou não ser divertida, atraente, engraçada ou triste, perturbadora, até mesmo irritante.

Mas nenhuma dessas qualidades importa se você não pegar a história— se não assistir ao filme ou ler o livro para valer. Se você não ficar firme ali, não importa qual o recado da história. Para ser eficiente, uma história tem que mantê-lo na cadeira — quer você esteja segurando um Kindle, ou sentado no carro com a mão no botão de rádio, ou sentado no cinema.

Inspirar curiosidade é a primeira tarefa de uma boa história.

Quantas vezes você começou a ler uma história de jornal ou revista com um título maravilhoso, sobre um tópico que lhe interessa, mas desistiu depois de alguns parágrafos, pensando: "Essa história não fez jus ao título".

A curiosidade é o motor que fornece impulso a boas narrativas. Mas acho que há uma conexão ainda mais poderosa entre elas.

Narração de histórias e curiosidade são realmente indispensáveis uma à outra. Com certeza reforçam e revigoram uma à outra. Mas na verdade podem fazer mais. A curiosidade ajuda a criar histórias. E não há dúvida de que a narrativa inspira a curiosidade.

Curiosidade é divertida e enriquecedora em termos pessoais, isoladamente. Mas o valor e a diversão da curiosidade são amplificados ao se compartilhar o que se aprendeu. Se você vai ao zoológico e vê filhotes novinhos de panda, ou vai a Florença e passa três dias apreciando a arte renascentista, nada como voltar para casa e contar para sua família e amigos "a história" de sua viagem. Lemos em voz alta os trechos mais incríveis do jornal no café da manhã. Metade do que tem no Twitter é, literalmente, gente dizendo: "Olhem o que acabei de ler — dá pra crer nisso?". As postagens de alguém no Twitter são um *tour* pelo que esta pessoa considera interessante o suficiente para compartilhar — uma viagem através de sua versão de curiosidade clicável.

Recuando no tempo até as primeiras tribos humanas, algum tipo de narrativa era indispensável à sobrevivência. A pessoa que descobria uma fonte de água nas proximidades tinha que comunicar o fato. A mãe que tinha que arrebatar o filho distraído do puma que o perseguia tinha que comunicar o fato. A pessoa que encontrou batatas selvagens e descobriu como comê-las teve que comunicar o fato.

★ *A curiosidade dentro da história* ★

A curiosidade é maravilhosa, mas, se o que aprendemos se evapora, se não vai além de nossa própria experiência, aí não nos ajuda realmente.

Curiosidade em si é essencial à sobrevivência.

Mas o poder do desenvolvimento humano vem de sermos capazes de compartilhar o que aprendemos e de acumularmos esse aprendizado.

E é isso que são as histórias: conhecimento compartilhado.

Curiosidade nos motiva a explorar e descobrir. Contar histórias nos permite compartilhar o conhecimento e a emoção do que descobrimos. E essa narrativa, por sua vez, inspira curiosidade nas pessoas com quem falamos.

Se você ouvir falar da fonte de água nas proximidades, pode ficar curioso na mesma hora e tentar encontrá-la você mesmo. Se ouvir falar do novo alimento, a batata, você pode ficar curioso para saber se consegue cozinhá-la e qual será o gosto.

Até mesmo histórias modernas emocionalmente gratificantes muitas vezes nos deixam curiosos. Quantas pessoas assistem *Apollo 13*, de Ron Howard — que tem um final profundamente satisfatório —, e então querem saber mais sobre essa missão ou o programa Apolo e voos espaciais em geral?

Existe, claro, uma profissão que conecta curiosidade e narração de histórias: o jornalismo. Ser repórter é isso. Mas, na verdade, somos todos contadores de histórias. Somos jornalistas e escritores de nossas vidas e relacionamentos. Twitter, Instagram e *blogs* são formas modernas de dizer: "Eis aqui o que está acontecendo na minha vida". O que é a mesa de jantar de família à moda antiga se não um tipo de resumo noticioso noturno da família?

Muito do poder das histórias vem de seu peso emocional. É

onde ficam o humor e a alegria, a excitação e o aspecto inesquecível. Aprendemos como nos comportar em parte a partir das histórias sobre como outras pessoas se comportam — sejam essas histórias contadas por meninas da sexta série durante o almoço ou por engenheiros de *software* cujo produto não teve sucesso com um novo cliente, ou por Jane Austen no romance *Razão e sensibilidade*. Histórias são a forma de aprendermos sobre o mundo, mas também de aprendermos sobre outras pessoas, sobre o que passa por suas cabeças e em que isso difere do que se passa por nossa cabeça.

Desde o momento em que nascemos, desde o momento em que acordamos de manhã, estamos saturados de histórias. Mesmo quando estamos dormindo, nosso cérebro está nos contando histórias.

Uma das grandes questões não resolvidas sobre a vida na Terra é: por que os seres humanos são capazes de tão grande progresso intelectual e social em comparação com outros animais?

Talvez seja o polegar opositor.

Talvez seja o tamanho e a estrutura de nosso cérebro.

Talvez seja a linguagem.

Talvez seja nossa capacidade de fazer e utilizar o fogo.

Mas talvez o que torne os humanos singulares seja nossa capacidade de contar histórias — e nosso reflexo de conectar curiosidade e narração de histórias constantemente, em uma espiral como as de M. C. Escher. Nossas histórias e nossa curiosidade espelham uma à outra. São o que nos tornam bem-sucedidos e também humanos.

• • •

Quando criança, minha capacidade de leitura era severamente comprometida.

★ A curiosidade dentro da história ★

Eu não conseguia ler absolutamente nada nos meus primeiros anos de escola primária. Eu olhava as palavras em uma página, mas elas não faziam sentido. Eu não conseguia dar som a elas, não conseguia conectar os símbolos impressos com a linguagem que eu sabia e usava todos os dias.

Na década de 1950, quando eu era jovem, havia apenas duas razões para você não saber ler na terceira série. Ou você era estúpido, ou era teimoso. Mas eu estava apenas perplexo, frustrado e sempre preocupado com a escola.

As pessoas só começaram a falar em dislexia dez anos depois de eu ter passado pela terceira série e só começaram a realmente ajudar crianças com tais características dez anos depois disso. Hoje eu talvez fosse classificado como disléxico.

Assim, eu tirava Fs na escola primária, com um ocasional D. Minha salvadora foi minha avó Sonia — a mãe de minha mãe, uma avó judaica clássica de um metro e meio de altura. Ela sempre dizia que eu tinha algo de especial.

Minha mãe estava aborrecida — o filho dela estava indo mal na terceira série! Ela foi em busca de um professor particular de leitura para mim, que lentamente me ensinou a laçar as letras e palavras em uma página. Minha avó, por outro lado, permaneceu totalmente imperturbável. Era um verdadeiro contraponto.

Ela apenas seguiu dizendo: "Você é curioso. Sua curiosidade é boa. Pense grande!". Minha avó conseguia ver além do boletim, parecia conseguir ver dentro da minha cabeça. Ela sabia que eu estava ávido para aprender, como todas as outras crianças. Eu simplesmente tinha uma grande dificuldade para satisfazer essa fome.

Minha avó realmente ajudou a fazer de mim uma espécie de sonhador. Ela dizia: "Não deixe o sistema definir você. Você já está definido — você é curioso!".

Que coisa para se dizer a um garoto na escola primária — "Não deixe o sistema definir você!". Mas graças a Deus ela disse. Minha avó me ensinou muita coisa, mas uma das coisas mais importantes que transmitiu foi que tudo que você realmente precisa é de um defensor.

Quando você não sabe ler e aí aprende com muito esforço, algumas coisas acontecem. Em primeiro lugar, você se esconde na escola. Se você não consegue ler, não sabe responder às perguntas do professor em aula. Então eu vivia me ocultando, não levantava a mão, tentava ser invisível. Tentava evitar ser humilhado.

Quando ler é um trabalho duro, você fica à parte da facilidade com que as pessoas aprendem lendo. E fica à parte das histórias. Para a maioria das pessoas, ler é simplesmente uma ferramenta que não requer consideração — às vezes é difícil quando o assunto é difícil, mas com frequência é uma fonte de alegria, divertimento ou prazer. É sempre uma fonte de grandes histórias.

Mas a leitura em si era muito difícil para mim, eu não me aconchegava com um livro apenas por diversão, só para ser transportado para um mundo diferente, como muitas crianças fazem — e adultos também, é claro. E eu não conseguia decidir, como um aluno de sexta série faz, que estava interessado em algo — o sistema solar, baleias, Abe Lincoln — e dar uma olhada em uma pilha de livros sobre o assunto na biblioteca.

Eu tinha que ser engenhoso para aprender o que queria aprender e também paciente e determinado.

Minha capacidade de leitura melhorou gradualmente durante

o ensino secundário. Se o que eu tinha era dislexia, parece que a superei ao crescer. Adulto, consigo ler — leio roteiros e jornais, livros e revistas, memorandos e *e-mails*. Mas cada página é um esforço. O trabalho nunca se desvanece. Ler, para mim — ler para alguém que seja disléxico, penso eu —, é um pouco como a matemática para muita gente: você tem que trabalhar tão duro para enfiar o problema no seu cérebro que pode perder de vista o objetivo do problema em si. Ainda hoje, nos meus sessenta anos, o esforço físico da leitura drena um pouco do prazer que eu poderia usufruir do que quer que esteja lendo.

O surpreendente é que, apesar de minha luta com a leitura, duas coisas vitais sobreviveram: a alegria que encontrei na aprendizagem e minha paixão por histórias. Fui uma criança que não queria outra coisa a não ser evitar perguntas na sala de aula e agora aprecio a oportunidade de ser um estudante ávido, de fazer perguntas a pessoas que estão descobrindo respostas.

Fui uma criança que não teve o prazer de se perder em todos os grandes clássicos infantojuvenis — *James e o pêssego gigante*, *A teia de Charlotte*, *Duna*, *Uma dobra no tempo*, *O apanhador no campo de centeio* —, mas agora passo minha vida ajudando a criar exatamente esse tipo de história completamente absorvente, só que na tela.

Eu adoro boas histórias, só que gosto mais delas da forma como foram originalmente descobertas: contadas em voz alta. É por isso que as conversas de curiosidade têm sido tão importantes para mim e também tão divertidas. Descrevi algumas das conversas dramáticas, mas a maioria delas tiveram lugar em meu escritório. Algumas foram como ler uma matéria de primeira página do *Wall Street Journal*, cristalizando alguma coisa perfeitamente e de um jeito que nunca vou esquecer.

Sempre tive interesse em boas maneiras e etiqueta — qual a maneira certa de se comportar, qual o jeito certo de tratar as pessoas? Por que é importante quem abre a porta e onde os talheres são dispostos na mesa?

Convidei Letitia Baldrige para vir conversar — a lendária especialista em todos os tipos de protocolo que ficou famosa primeiro como secretária social de Jacqueline Kennedy, ajudando a transformar a Casa Branca de Kennedy em um centro de cultura e artes. Baldrige deixou a Tiffany & Co. para trabalhar na Casa Branca e passou a escrever uma coluna de jornal e muitos livros sobre maneiras modernas. Ela era alta — muito mais alta do que eu — e já de cabelo prateado quando veio conversar. Entrou no meu escritório com uma autoridade elegante.

Letitia Baldrige deu-me uma compreensão da diferença entre "modos" e "etiqueta" — algo que eu nunca tinha captado antes.

Modos são de fato a base de como tratamos as outras pessoas — modos nascem da compaixão, da empatia, da "regra de ouro". Modos são, pura e simplesmente, fazer as pessoas se sentirem bem-vindas, à vontade e respeitadas.

Etiqueta é o conjunto de técnicas que se usa para ter ótimos modos. Etiqueta é o subproduto. A maneira como você convida alguém para um evento faz diferença. A maneira como você cumprimenta as pessoas, a maneira como as apresenta para outras pessoas já presentes, a maneira como puxa uma cadeira para alguém.

Modos são a forma como você quer se comportar e a forma como quer fazer as pessoas se sentirem. Etiqueta é o aprimoramento da vontade de tratar as pessoas com graça e cordialidade.

Eu amo essa distinção. Para mim, esclarece tanto modos quanto etiqueta, tornando-os mais compreensíveis e mais práticos.

★ A curiosidade dentro da história ★

Todos os dias uso um pouquinho do que Letitia Baldrige ensinou-me. Você abre a porta do carro para sua parceira não porque ela não possa abrir a porta, mas porque você a ama. Você organiza os talheres na mesa de uma certa maneira porque isso proporciona conforto e previsibilidade a seus convidados, de modo que possam ficar mais descontraídos no jantar.

E, como Letitia disse, a sensação que você tenta transmitir — hospitalidade, cordialidade — é muito mais importante do que seguir alguma regra específica. Você pode seguir as regras, mas, se o faz com uma atitude desdenhosa, você é rude, apesar de ter a etiqueta "perfeita".

Nem todas as conversas foram tão úteis em termos práticos. Uma de minhas favoritas foi com alguém que, à primeira vista, pareceria exatamente o oposto da especialista em etiqueta Letitia Baldrige: Sheldon Glashow, o físico de Harvard que ganhou o Prêmio Nobel de Física em 1979, quando tinha 46 anos, por uma pesquisa que fez quando tinha 28.

Trouxemos Glashow de Cambridge para Los Angeles. Ele veio ao escritório numa manhã e parecia tão encantado com a novidade de conhecer alguém influente no negócio do cinema quanto eu por conhecer alguém da estatura dele no mundo da ciência.

Um dos sábios da física moderna de partículas, Glashow tinha 72 anos quando veio me visitar, em 2004. Seu trabalho pioneiro na física envolveu a descoberta de que aquilo que os físicos pensavam ser as quatro forças básicas da natureza poderiam ser na verdade três forças — ele ajudou a "unificar" a força fraca e a força eletromagnética. (As outras duas são a força forte e a gravitacional).

Eu gosto de tentar mergulhar meu cérebro na física de partículas. Gosto disso da mesma forma que algumas pessoas gostam de compreender as complexidades da geologia, ou do câmbio de moedas ou do pôquer. É um mundo arcano particular, com idioma e elenco de personagens distintos — a física de partículas pode parecer literalmente um universo diferente. Todavia é o universo em que vivemos. Somos todos feitos de *quarks*, hádrons e forças eletrofracas.

Ao chegar ao meu escritório, Glashow não poderia estar mais entusiasmado ou aberto. Sou um leigo, mas ele ficou feliz em me guiar pela ciência de onde a física de partículas encontra-se hoje. Ele tinha a atitude daqueles professores favoritos e pacientes. Se você não entende algo direito, ele tenta explicar de forma diferente.

Ele é um professor, bem como um cientista. Na manhã em que Glashow ganhou o Nobel, ele teve que cancelar sua aula das dez — que era sobre física de partículas — para alunos de Harvard.

Glashow estava curioso sobre a indústria do cinema. Ele claramente gosta de filmes. Tinha ajudado Matt Damon e Ben Affleck a acertar a matemática de *Gênio indomável* (há um agradecimento a ele nos créditos).

Glashow foi o oposto de Edward Teller. Ele apreciou a chance de conversar — tirou dois dias para a visita — e estava interessado em quase tudo. Normalmente reservamos uma ou duas horas da agenda do dia para as conversas. Shelly Glashow e eu conversamos durante quatro horas, e o tempo voou. Meu principal sentimento ao conduzir o Dr. Glashow até a saída do escritório foi: eu gostaria de falar com ele novamente.

Uma história de jornal ou revista nas mãos de um repórter talentoso poderia capturar muito do que eu capturei de Letitia Baldrige e Sheldon Glashow. Mas eu teria que trabalhar tanto na leitura que acho que perderia a graça.

★ A curiosidade dentro da história ★

Em cada uma dessas ocasiões tenho a compreensão de que minhas conversas de curiosidade são um privilégio notável — a maioria das pessoas não tem uma vida que lhes permita ligar para as pessoas e convidá-las para conversar. Mas obtenho algo especial desse tipo de curiosidade que não é exclusivo a mim ou a essa configuração particular: conhecer pessoas pessoalmente é totalmente diferente de vê-las na TV ou ler sobre elas. Isso não é válido só para mim. A vivacidade da personalidade e energia de uma pessoa só ganha vida realmente quando você aperta sua mão e olha nos olhos dela. Quando você ouve a pessoa contar uma história. Para mim isso tem um poder emocional verdadeiro e um poder que realmente perdura. É aprender sem ser ensinado, é aprender por meio da narração de histórias.

Esse tipo de curiosidade direta, em pessoa, permite que você se surpreenda. Tanto Baldrige quanto Glashow foram surpreendentes — muito diferentes do que eu poderia ter imaginado de antemão.

Baldrige centrou-se em bons modos, não em etiqueta. A despeito de toda a experiência nos níveis mais altos do que se poderia chamar de protocolo de precisão — da Tiffany a jantares de Estado na Casa Branca —, ela só queria que as pessoas se tratassem bem umas às outras. Ela era o árbitro lendário das regras, mas, para ela, bons modos não tinham a ver com regras e sim com graça e hospitalidade.

Glashow atua em uma área da ciência tão arcana que, *após* a formatura no ensino médio, é necessário estudar por igual número de anos só para chegar ao ponto onde se pode começar a fazer novos progressos. E ainda assim ele era o oposto de alguém inacessível e insular. Foi revigorante encontrar um físico teórico brilhante que não tinha nada do clichê de cientista distraído. Ele estava completamente envolvido no mundo mais amplo.

Minha tese é de que na verdade você não precisa sentar com hora marcada com a secretária social da Casa Branca ou o físico ganhador do Prêmio Nobel para ter esse tipo de experiência. Quando alguém novo entra na sua empresa, quando você está parado na beira do campo no jogo de futebol do seu filho junto com os outros pais, quando está num avião sentado ao lado de um estranho, ou participando de uma grande conferência de negócios, todas as pessoas ao redor têm histórias para contar. Vale a pena dar a si mesmo a chance de ser surpreendido.

• • •

Conheci Condoleezza Rice em um jantar festivo em Hollywood. Ela sempre me deixara intrigado. É pianista clássica. Foi professora de ciência política na Universidade de Stanford e depois reitora da universidade — a principal dirigente acadêmica. E, claro, foi conselheira de segurança nacional do presidente George W. Bush por quatro anos e secretária de Estado por quatro anos. Tem uma presença notável — dado o seu nível de responsabilidade, sempre parece composta, até mesmo calma. Também transmite uma sensação de estar a par das coisas. Para mim, quase parece que ela tem superpoderes.

O jantar em que a conheci ocorreu em 2009, não muito depois de Condoleezza ter deixado o cargo de secretária de Estado. Ela estava sentada à minha frente.

Condi ainda tinha seguranças a sua volta, mas era muito acessível para conversar. Uma coisa que se vê de perto e que nunca se via quando ela falava na TV é o brilho no olhar. Quando o jantar estava terminando, perguntei: "Posso lhe telefonar? Poderia quem sabe almoçar comigo?".

★ A curiosidade dentro da história ★

Ela sorriu e disse: "Claro".

Pouco tempo depois, fomos almoçar no E Baldi, em Cañon Drive, um conhecido restaurante de Hollywood. Ela chegou em um carro com sua equipe de segurança, e sentamos no único reservado do pequeno restaurante.

Condi estava descontraída e graciosa, mas acho que eu estava mais curioso sobre ela do que ela sobre mim.

Falei de um filme que estávamos nos preparando para fazer. Chamava-se *Cartel*, sobre um homem empenhado em vingança contra o cartel de drogas mexicano após o assassinato brutal de sua esposa. O filme era ambientado no México, local de muita violência do cartel, e iríamos filmá-lo no México dali a uns dois meses. Originalmente definimos Sean Penn para estrelar a produção; como ele não poderia, havíamos escalado Josh Brolin para o papel principal. Eu estava preocupado em rodar um filme de crítica aguda aos cartéis no país onde estavam decapitando juízes.

Condi escutou. Falei que a segurança do estúdio tinha avaliado as regiões do México onde queríamos filmar e dito que estava tudo bem. Ela olhou para mim de modo cético. "Não acho que seja seguro fazer isso", disse ela.

Cartel estava numa encruzilhada. Havíamos gasto dinheiro. O estúdio achava que era seguro. Mas o que eu lia nos jornais todos os dias sugeria algo diferente. A questão da segurança me incomodava. Eu pensava: pessoalmente, eu viajaria para o cenário de um filme sobre um cartel no México? Respondendo honestamente, achava que não. E, se eu não iria, como poderia ficar à vontade enviando outros para lá? Eu precisava muito de um outro ponto de vista bem informado.

Condi fez novo contato depois de nosso almoço. Ela tinha feito algumas verificações e disse: "Não. Não é seguro fazer o que você está planejando".

Foi a gota d'água, para mim e para o estúdio. Liquidamos o filme. Não fomos para o México, nunca foi feito. Olhando em retrospecto, temo que alguém poderia morrer. Aprendi a prestar atenção nesses instintos, nessas dúvidas ocasionais enervantes, e aprendi a garantir que sejamos curiosos o suficiente para realmente encontrar um parecer especializado quando há um grande risco. Acho que fazer um filme sobre cartéis de droga na nação onde eles estavam operando poderia ter sido um desastre.

Eu não seria muito bom no meu trabalho sem curiosidade. Ela hoje permeia cada etapa do processo. Mas pense na quantidade de gente que também deveria dizer isso em profissões que normalmente não se pensa que exijam curiosidade — pelo menos como habilidade primária —, como se espera de um médico ou detetive.

Um bom gestor financeiro precisa conhecer os mercados e a maneira de arranjar dinheiro para a aposentadoria, mas também deve ser curioso.

Um bom corretor imobiliário precisa conhecer o mercado, as casas disponíveis, as casas que podem vir a ficar disponíveis, mas também deve ser curioso sobre seus clientes.

Um urbanista precisa ser curioso, um executivo de publicidade, uma dona de casa, um educador físico, um mecânico de automóveis e um bom cabeleireiro também devem ser igualmente curiosos.

Em todo caso, a curiosidade está por toda parte em uma história. Qual é a história de sua vida e como você espera que o dinheiro, uma casa nova ou um novo penteado ajude a moldar essa história e ajude a contá-la?

★ A curiosidade dentro da história ★

Esse tipo de curiosidade parece tão rotineiro que nem deveríamos precisar falar dele. Acho que era assim. Mas, em um mundo onde muitas de nossas interações básicas são estruturadas e roteirizadas — ao falar com o "atendimento ao consumidor" de um número 0800, tentar ser ouvido pelo alto-falante no *drive-through*, fazer o *check-in* em um hotel onde a hospitalidade é "treinada" —, a curiosidade tem sido estrangulada.

É considerada imprevisível.

Mas isso está completamente errado. Se você pensar em um bom cabeleireiro, o trabalho em si requer capacidade para entender de cabelo, conhecimento sobre o formato da cabeça das pessoas, a qualidade dos cabelos delas e uma borrifada de criatividade e individualismo. Mas também tem um importante elemento humano. Como cliente, você quer um cabeleireiro que esteja interessado em você, que pergunte o que seu cabelo significa para você e que preste atenção a como você quer parecer e se sentir quando levantar da cadeira. Também quer um cabeleireiro que converse, que faça perguntas que mantenham vocês dois entretidos enquanto o cabelo é lavado, cortado e secado. (Ou um cabeleireiro que seja perspicaz o suficiente para perceber que você não quer falar absolutamente nada.)

O bacana é que esse tipo de curiosidade perfeitamente rotineira funciona tanto para o cabeleireiro quanto para a cliente. A cliente obtém o corte de cabelo que está esperando, fica com um cabelo que ajuda a apresentá-la no seu melhor eu, que ajuda a contar a história dela, e também passa por uma experiência divertida e relaxante. O cabeleireiro evita de cair na rotina. Aprende alguma coisa sobre a cliente e também sobre como o mundo funciona — cada cliente na cadeira do cabeleireiro é uma oportunidade para uma conversa de curiosidade em miniatura. O cabeleireiro oferece os melhores cortes que consegue fazer enquanto cultiva clientes leais e felizes e tem uma vida profissional divertida.

Ir ao salão não é como sentar-se com um arquiteto para planejar a reforma do escritório na sua empresa ou planejar a ampliação da sua casa. Mas curiosidade e narrativa adicionam um pouco de diversão e singularidade — e ocasionalmente aprendizado e discernimento — ao que de outra forma pode tornar-se rotina.

Se boas maneiras são o lubrificante que permite que todos nós nos demos bem, curiosidade é a pitada de Tabasco que adiciona tempero, nos acorda, cria conexão e dá significado a quase qualquer encontro.

A maneira de descobrir é perguntar.

CAPÍTULO QUATRO

A CURIOSIDADE COMO UM PODER DE SUPER-HERÓI

"A curiosidade vai conquistar o medo ainda mais do que a coragem."
— JAMES STEPHENS[38]

Eu estava sentado no bar do Ritz-Carlton em Nova York, de frente para o Central Park, com um homem que tinha as melhores costeletas desde o presidente Martin Van Buren. Estava tomando uns drinques com Isaac Asimov, o autor que ajudou a dar vida à ciência e à ficção científica para toda uma geração de norte-americanos.

Foi em 1986, o filme *Splash — Uma sereia em minha vida* tinha sido lançado e estourado, e eu estava usando o sucesso para tornar as conversas de curiosidade tão ambiciosas quanto possível.

Isaac Asimov era uma lenda, claro. No momento em que nos conhecemos, ele havia escrito mais de trezentos livros. Quando morreu, em 1992, o número havia aumentado para 477. A escrita de Asimov é tão clara e acessível — tornando todo tipo de tópico complicado compreensível — que é fácil ignorar o quanto ele era inteligente. Embora ninguém nunca o chamasse de "Dr. Asimov", tinha doutorado em química pela Colúmbia e, antes de conseguir sustentar-se escrevendo, foi professor de bioquímica na faculdade de medicina da Universidade de Boston.

A maioria das pessoas conhece Asimov como um contador de histórias e um visionário, um homem capaz de olhar como a ciência e os seres humanos interagem e imaginar o futuro, autor de *Eu, robô* e da trilogia *Fundação*. Mas na verdade Asimov escreveu mais livros de não ficção do que de ficção. Escreveu sete livros sobre matemática, escreveu 68 livros sobre astronomia, escreveu um livro didático de bioquímica, escreveu livros intitulados *Photosynthesis* (Fotossíntese) e *The Neutrino: Ghost Particle of the Atom* (Neutrino: a partícula fantasma do átomo). Escreveu guias literários para a Bíblia (dois volumes), para Shakespeare e para *Paraíso perdido*. Tinha um amor travesso de menino por piadas e escreveu oito livros ou coleções de humor, incluindo *Lecherous Limericks* (*Limericks* lascivos), *More Lecherous Limericks* (Mais *limericks* lascivos) e *Still More Lecherous Limericks* (Ainda mais *limericks* lascivos). Na última década de sua vida, Asimov escreveu quinze ou mais livros por ano. Ele escrevia livros mais rápido do que a maioria das pessoas consegue lê-los — inclusive eu.[39]

Asimov era um polímata, um autodidata e um gênio. E era um contador de histórias instintivo. Quem não gostaria de se sentar com ele por uma hora?

Isaac Asimov encontrou-se comigo no Ritz-Carlton com sua segunda esposa, Janet Jeppson Asimov, uma psiquiatra com graduações de Stanford e da NYU. Eu achei-a mais intimidante do que ele — Isaac estava descontraído, sua esposa estava mais em guarda. Ela claramente era a chefe, ou pelo menos sua protetora.

★ A curiosidade como um poder de super-herói ★

Isaac e Janet pediram *ginger ale*.

Começamos a bater papo. Aparentemente, a coisa não estava indo lá muito bem, embora eu não percebesse direito o quão mal estava indo. Depois de apenas dez minutos — os Asimovs ainda não tinham acabado seus refrigerantes —, Janet Asimov interrompeu de forma abrupta.

"Você evidentemente não conhece o trabalho do meu marido o suficiente para ter essa conversa", ela disse, levantando-se da mesa. "Isto é perda de tempo. Vamos embora. Vamos, Isaac."

E foi isso. Eles se levantaram e me deixaram sentado sozinho na mesa, boquiaberto e pasmo.

Eu tinha arranjado um encontro com um dos contadores de histórias mais interessantes, inventivos e prolíficos do nosso tempo e tinha conseguido aborrecê-lo (ou, pelo menos, tinha aborrecido sua esposa vigilante) tão profundamente em apenas dez minutos que eles não aguentaram e tiveram que fugir do buraco negro da minha chatice.[40]

Acho que nunca na vida senti algo tão parecido com uma bofetada — sem ter sido tocado.

E é o seguinte: Janet Asimov tinha razão.

Levei alguns meses para superar o baque deles indo embora. Mas Janet Asimov me pegou de jeito e deu uma sacudida. Eu não estava preparado o suficiente para falar com Isaac Asimov. Ele havia concordado em reservar uma hora para estar comigo — para ele, isso era sacrificar um capítulo inteiro de um livro —, mas de minha parte eu não o respeitara. Não tinha dedicado tempo para aprender o bastante sobre ele, ou para ler, digamos, *Eu, robô* do início ao fim.

Na ida para aquele encontro, eu estava apavorado com Isaac Asimov. Estava preocupado exatamente com o que acabou acontecendo: eu tinha medo de não saber o suficiente para ter uma boa conversa com Asimov. Mas não fui esperto o suficiente para subordinar o medo à curiosidade.

Nunca mais cometi esse erro de novo.

Aprendi a contar com a curiosidade em dois aspectos muito importantes: primeiro, uso a curiosidade para combater o medo.

Tenho um monte de medos relativamente comuns.

Tenho medo de falar em público.

Eu realmente não gosto de grandes ambientes sociais onde posso não me divertir, onde posso acabar meio que encurralado, ou onde posso não ser tão agradável quanto alguém ache que eu deveria ser.

Pois então, tire um minuto para considerar esta lista. Dados os meus medos, claro que escolhi a profissão errada. Metade da minha vida — metade da minha vida profissional — exige que eu vá a algum lugar, dê uma palestra, circule em grandes ambientes sociais com gente importante que conheço mais ou menos, mas não de verdade.

Junte-se a isso eu ter um pouco de medo de gente poderosa e ficar um pouco intimidado diante de intelectuais — exatamente o tipo de pessoas com quem quero ter conversas de curiosidade — e pode parecer que criei uma vida planejada com perfeição para me deixar ansioso desde o instante em que abro os olhos pela manhã.

Além de usar a curiosidade para enfrentar meus medos, uso a curiosidade para instilar confiança — nas minhas ideias, nas minhas decisões, na minha visão, em mim mesmo. Hollywood, como já mencionei, é a terra do "não". Em vez de grafar a palavra

★ A curiosidade como um poder de super-herói ★

H-O-L-L-Y-W-O-O-D no famoso letreiro de Hollywood Hills, podiam ter escrito: N-Ã-O-N-Ã-O-N-Ã-O!

Um aspirante a cineasta esteve em meu escritório recentemente para uma reunião e disse: "Oh, você é o cara. Ninguém diz 'não' para você".

Isso é bobagem. Todo mundo diz "não" para mim. Todo mundo *ainda* diz "não" para mim. É exatamente o contrário do que parece.

Claro, as pessoas *gostam* de mim. As pessoas dizem "sim" para as reuniões.

As pessoas dizem: "Por favor, venha jantar". Às vezes dizem: "Por favor, venha nesta viagem bacana comigo" — e isso é lisonjeiro.

Mas, se quero fazer algo criativo, se quero fazer algo inovador — uma série de TV sobre um carrasco medieval, por exemplo, que ajudei a levar adiante em 2014, ou um filme sobre o impacto de James Brown na indústria da música nos Estados Unidos, lançado no verão de 2014, as pessoas dizem "não". Hoje em dia, elas apenas sorriem e passam o braço em volta do meu ombro quando o fazem.

Você tem que aprender a derrotar o "não".

Todo mundo em Hollywood tem que vencer o "não" — e, se você cria códigos no Vale do Silício, ou projeta carros em Detroit, se gerencia fundos *hedge* em Lower Manhattan, também tem que aprender a derrotar o "não".

Algumas pessoas driblam o "não" com charme.

Algumas pessoas driblam com adulação, algumas pessoas driblam com argumentação, algumas pessoas driblam com lamúria.

Se eu preciso de apoio em um projeto, não quero persuadir, nem jogar charme, nem adular ninguém. Quero que tenham o mesmo entusiasmo e comprometimento que eu. Não quero puxar ninguém contra a sua vontade. Quero que as pessoas vejam a ideia, o filme, os personagens com o tipo de empolgação que faz com que levem a cabo as partes difíceis de qualquer projeto.

Eu uso a curiosidade para derrotar o "não", uso a curiosidade para descobrir como chegar ao "sim". Mas não é bem da forma como você imaginaria.

• • •

Não virei um produtor consumado com o primeiro filme que Ron Howard e eu fizemos — *Corretores do amor*. O filme era inteligente, *sexy* e fácil de explicar. Tinha um gancho rápido. Dava para ver as possibilidades cômicas instantaneamente. Na verdade, *Corretores do amor* é baseado em uma história real que li nas páginas internas do *New York Times* no verão de 1976.[41]

Foi o segundo filme que Ron e eu fizemos juntos — *Splash — Uma sereia em minha vida* — que me ensinou o que os produtores realmente fazem em Hollywood. Seu trabalho é bolar a visão da história e encontrar financiamento e elenco para fazer o filme, proteger a qualidade do filme enquanto este se desenvolve. Mas, primeiro e acima de tudo, o trabalho do produtor é conseguir que o filme seja feito.

O cerne de *Splash*, aquilo que chamo de "ponto de arrancada" da história, é simples: o que acontece quando uma sereia sai do mar para a terra firme?

Quais seriam suas impressões, como seria a vida dela? O que aconteceria se eu viesse a conhecer tal sereia? O que seria preciso para conquistar o amor dela — do que ela teria que desistir? Do que um homem que a cortejasse teria que desistir?

Eu mesmo escrevi o primeiro script de *Splash* (de início chamei de *Wet* [Molhada]).

A ideia da sereia ocorreu-me antes da ideia de *Corretores do amor*,

★ A curiosidade como um poder de super-herói ★

enquanto eu trabalhava como produtor de filmes e minisséries de TV (como *Zuma Beach* e *Ten Commandments*). Eu estava seguindo o conselho que Lew Wasserman me deu, de chegar com ideias, algo que eu poderia possuir, colocando o lápis no bloco de notas. Eu era como qualquer outro homem de 28 anos na indústria de cinema em Los Angeles na década de 1970: encantado com as mulheres da Califórnia. Vivia tentando entendê-las. Não é um salto muito grande das mulheres de biquíni na praia para uma sereia na praia.

Exceto pelo seguinte: ninguém queria um filme de sereia.

Nenhum estúdio estava interessado, nenhum diretor estava interessado.

Todo mundo disse não.

Nem mesmo Ron Howard queria dirigir um filme de sereia. Ele disse não mais de uma vez.

Hollywood é, fundamentalmente, uma cidade avessa ao risco — estamos sempre em busca da coisa certa. Por isso temos filmes com quatro, até seis continuações.

Ninguém parecia entender um filme de sereia. Onde estava, aliás, o filme de sereia anteriormente bem-sucedido?

Duas coisas enfim aconteceram.

Primeiro, ouvi o "não". Havia informações na resistência sobre as quais eu tinha que ficar curioso.

Eu dizia: "É um filme sobre uma sereia que vem para a terra firme. Ela conhece um rapaz. É engraçado!". Não funcionava.

Eu dizia: "É um filme sobre uma sereia que vem para a terra firme. Ela conhece um rapaz. É tipo uma fantasia, entende?". As pessoas não levavam fé.

Eu precisava entender para o que as pessoas estavam dizendo não. Estavam dizendo não para uma comédia? Estavam dizendo não para uma fantasia sobre sereia? Estavam dizendo não para mim — para Brian Grazer?

Constatei que inicialmente escrevi e tentei vender *Splash* excessivamente do ponto de vista da sereia.

Eu achava as sereias realmente intrigantes, realmente fascinantes (e estou em boa companhia — veja, por exemplo, o lendário *A pequena sereia* de Andersen). Os executivos dos estúdios de Hollywood pareciam apenas perplexos. Estavam dizendo não para a sereia.

Por isso pensei: ok, isso não é um filme de sereia — é uma história de amor! É uma comédia romântica com uma sereia como a garota. *Recontextualizei* o filme. Mesma ideia, estrutura diferente. Comecei a propor um filme que era uma história de amor entre um homem e uma sereia, com um pouco de comédia no meio.

A resposta ainda foi não, mas um não um pouco menos enfático. Dava para ver que os executivos pelo menos achavam graça da ideia de uma história de amor envolvendo uma sereia.

Anthea Sylbert, cujo trabalho era comprar filmes para a United Artists, foi uma das pessoas para quem tentei vender *Splash* mais de uma vez.

"Jogo você porta afora, você volta pela janela", ela disse um dia, exasperada. "Jogo você pela janela, você desce pela chaminé. A resposta é não! Não quero este filme de sereia!"

Tornei-me uma praga. Mas, como Anthea Sylbert recentemente me disse: "Você era uma praga, mas não como um mosquito. Parecia mais uma criança hiperativa de cinco anos. Endiabrado. Eu tinha vontade de mandar você ir se sentar num canto e ficar quieto, algo assim".

Apesar de dizer não, Anthea ficou intrigada com a sereia.

★ A curiosidade como um poder de super-herói ★

"Sempre fui doida por mitologia, fábulas, essas coisas de conto de fadas", ela disse. Na verdade, não era tão difícil transformar o filme de sereia em uma história de amor entre um homem e uma sereia e daí em um conto de fadas sobre a história de amor entre um homem e uma sereia.

Anthea me deu o dinheiro para um *script* mais lapidado e ajudou a contratar o romancista e roteirista Bruce Jay Friedman para retrabalhar minha versão original.

E trabalhei uma pequena curiosidade com Anthea também. Ela queria regras para a sereia.

Eu não fazia ideia do que ela estava falando. "Por que precisamos de regras?", perguntei.

Ela queria esclarecer como a sereia se comportava no oceano e como se comportava em terra (o que acontecia com a cauda, por exemplo?). Queria que o público ficasse por dentro das regras.

"Por quê?", perguntei novamente.

Ela achava que isso acrescentaria tanto diversão quanto o elemento de conto de fadas.

Então, do nada, pipocou um segundo filme de sereia — a ser escrito pelo lendário roteirista Robert Towne (*Chinatown, Shampoo*), dirigido por Herbert Ross (*Adeus Mr. Chips, Momento de decisão*) e estrelado por Warren Beatty e Jessica Lange.

Um filme de sereia era totalmente desinteressante para Hollywood.

Dois filmes de sereia era filme de sereia demais — e Hollywood iria com o do escritor premiado com o Oscar e do diretor indicado ao Oscar. Passando por cima especialmente da parceria Grazer–Howard — tínhamos exatamente um filme juntos a nosso crédito.

Eu pareço descontraído, me visto de forma descontraída, tento agir de modo descontraído. Mas não sou descontraído. Sou o cara que ouve gente falando de um trabalho através de uma janela aberta e, 24 horas depois, tem aquele emprego. Consigo irritar meia dúzia de pessoas que pressiono de seis meses a um ano para arranjar as conversas de curiosidade: Lew Wasserman, Daryl Gates, Carl Sagan, Edward Teller, Jonas Salk.

Daí o que acontece primeiro é que uma dúzia de pessoas me diz que ninguém está interessado em sereias, ninguém vai fazer um filme de sereia. Daí dizem: "Uh, sinto muito, adoraríamos fazer seu filme de sereia, mas já existe um filme de sereia em andamento — colocaram Jessica Lange como a sereia! Legal, né? Não queremos competir com *isso*. Obrigado pela visita".

Só lamento; eu não ia deixar Herbert Ross e Robert Towne fazerem meu filme de sereia.

Ron e eu acabamos fechando um acordo com a Disney para *Splash — Uma sereia em minha vida* ser o primeiro filme de sua nova divisão, a Touchstone, criada especificamente para dar à Disney a liberdade de fazer filmes adultos. Ron não só assinou o contrato, como disse à Touchstone que faria o filme com um orçamento enxuto e jurou derrotar a sereia de Herbert Ross nos cinemas.

Splash foi um tremendo sucesso. Foi o número 1 nas bilheterias em suas primeiras duas semanas, ficou entre as dez maiores bilheterias por onze semanas e na época foi o filme que fez dinheiro mais rápido na história da Disney no cinema. *Splash* foi também o primeiro filme da Disney não classificado como G (censura livre). Demos à Disney um grande sucesso de classificação PG (com cenas talvez não apropriadas para crianças) — pela primeira vez.

Não só derrotamos o outro filme da sereia, como ele nunca foi feito. E *Splash* não fez apenas dinheiro: ajudou a fazer as carreiras

★ A curiosidade como um poder de super-herói ★

de Tom Hanks e Daryl Hannah. O pessoal de Hollywood que era um pouquinho cético quanto a Ron Howard como diretor passou a se acotovelar para contratá-lo.

E, talvez o momento mais doce, dadas as muitas vezes que ouvi a palavra "não" enquanto tentava fazê-lo: o roteiro de *Splash* foi indicado ao Oscar de melhor roteiro original. Naquele ano, *Um lugar no coração*, filme sobre a Grande Depressão estrelado por Sally Field, ganhou. Mas Ron e eu fomos à nossa primeira festa do Oscar.

Na noite de estreia de *Splash*, em 9 de março de 1984, Ron Howard e eu contratamos uma limusine e demos umas voltas com nossas esposas, olhando as filas nas salas de cinema de LA. Era uma tradição que iniciamos com *Corretores do amor*, mas aquelas filas foram um pouco decepcionantes. Com *Splash*, a história foi diferente.[42]

Em Westwood, havia um teatro chamado Westwood Avco na Wilshire Boulevard. Na estreia de *E.T. — O extraterrestre*, de Spielberg, em 1983, tínhamos visto as filas do Avco dando voltas no quarteirão. Ao passarmos por lá na noite em que *Splash* estreou, as filas também davam a volta no quarteirão. Não tanto quanto em *E.T.*, mas ainda assim incrível. As pessoas estavam na fila para ver o nosso filme de sereia. Foi emocionante. Saltamos do carro e andamos do início ao fim da fila, conversando com as pessoas e abraçando-as.

Depois voltamos para o carro e começamos outra tradição: dirigimo-nos ao In-N-Out Burger, o famoso *drive-in* do sul da Califórnia e comemos hambúrgueres com uma boa garrafa de um bordeaux francês que eu havia sido otimista o bastante para trazer na limusine.

Levou sete anos para levar *Splash* do ponto de arrancada até o cinema Westwood Avco. Não precisei apenas de uma ideia pela qual tinha paixão — uma boa ideia. Precisei de persistência. Determinação.

Curiosidade e narração de histórias reforçam uma à outra, e o mesmo acontece com curiosidade e persistência. Curiosidade leva à narração de histórias, e a narração de histórias inspira curiosidade. A mesmíssima dinâmica funciona com curiosidade e persistência.

A curiosidade recompensa a persistência. Se você desanima quando não encontra a resposta para uma pergunta imediatamente, se desiste com o primeiro "não", sua curiosidade não está adiantando muito. Para mim, essa é uma das lições de ter trabalhado com Anthea Sylbert — minha persistência me ajudou a manter o curso, minha curiosidade me ajudou a descobrir como modificar o filme da sereia apenas um pouquinho para que outras pessoas o entendessem e apreciassem. Não há nada mais infrutífero e inútil do que curiosidade negligente. Persistência é o que leva a curiosidade a alguma resolução que valha a pena.

Da mesma forma, persistência sem curiosidade pode significar perseguir um objetivo que não é digno do esforço — ou perseguir um objetivo sem ajustar-se à medida que você toma conhecimento de novas informações. Você acaba muito fora de curso. Persistência é o motor que leva em frente. Curiosidade fornece a navegação.

A curiosidade pode ajudar a desencadear uma grande ideia e ajudar a refiná-la.

A determinação pode ajudar a empurrar a ideia em frente face ao ceticismo dos outros.

★ A curiosidade como um poder de super-herói ★

Juntas, curiosidade e determinação podem proporcionar a confiança de que você está em algo inteligente. E essa confiança é a base da ambição.

Fazer perguntas é a chave — para ajudar a si mesmo, refinar ideias, persuadir os outros. E isso é verdadeiro mesmo que você ache que saiba o que está fazendo e aonde está indo.

Tive a oportunidade de transformar um dos grandes livros do Dr. Seuss em filme. Adquiri os direitos de *Como o Grinch roubou o Natal* da viúva do Dr. Seuss, Audrey Geisel, em um processo de dois anos, competindo com outros grandes cineastas que queriam a oportunidade, incluindo John Hughes (*Curtindo a vida adoidado*), Tom Shadyac (que dirigiu nosso filme *O mentiroso*) e os irmãos Farrelly (*Quem vai ficar com Mary?*).

Na verdade, *Como o Grinch roubou o Natal* seria o primeiro livro de Seuss que Audrey permitiria ser transformado em um longa-metragem. Audrey Geisel era um pouco parecida com a esposa de Isaac Asimov: uma protetora feroz do legado do marido, morto em 1991. A placa da Califórnia no carro dela quando trabalhamos juntos era uma única palavra: "GRINCH". (Theodor Geisel também teve a placa de carro "GRINCH" durante os últimos anos de sua vida.)[43]

Convenci Jim Carrey a interpretar o Grinch e convenci Ron Howard a dirigir. Audrey Geisel insistiu em conhecer e falar com os dois de antemão.

Quando assumo um projeto como transformar *Como o Grinch roubou o Natal* em filme, tenho uma grande sensação de responsabilidade. O livro foi lançado em 1957 e tem feito parte da infância de essencialmente cada criança norte-americana nascida desde então.

Eu estava tão familiarizado com a história, os personagens, a arte de *Grinch* quanto qualquer outro adulto de cinquenta anos nos Estados Unidos. Tinham lido a história para mim quando criança, e eu havia lido para meus filhos.

Mas, ao embarcarmos na redação do roteiro, na criação de Quem-Lândia e na transferência do humor do livro para a tela, mantive um conjunto de perguntas em mente — perguntas que fiz a mim mesmo, perguntas que fiz a Ron, Jim e aos roteiristas Jeff Price e Peter Seaman vezes e mais vezes enquanto fazíamos o filme.

Tínhamos conquistado os direitos, agora, a pergunta mais importante era: o que, exatamente, é esta história? Que tipo de história é?

É uma comédia verbal?

É uma comédia física?

É um filme de ação?

É um mito?

A resposta para cada uma dessas perguntas é "sim". Isso tornou a produção um desafio e uma responsabilidade. Enquanto trabalhava na comédia física, você não podia esquecer que era também o guardião de um mito. Quando trabalhava na ação, não podia esquecer que a alegria e a diversão da história vinham da língua original do Dr. Seuss, tanto quanto de qualquer outra coisa que ele desenhou ou nós projetamos.

Fazer perguntas permite entender o que as outras pessoas estão pensando da sua ideia. Se Ron Howard pensa que *O Grinch* é um filme de ação e eu acho que é uma comédia verbal, temos um problema. A maneira de descobrir é perguntar. Muitas vezes as perguntas mais simples são as melhores.

★ A curiosidade como um poder de super-herói ★

Que tipo de filme é *O Grinch*?

Que história estamos contando?

Que sentimento estamos tentando transmitir, em especial quando o público vai chegar com seu próprio conjunto de sentimentos sobre a história?

Isso também está no cerne do trabalho dos bons produtores de filme. Você sempre quer criar um filme que seja original, que tenha paixão. Com uma história tão icônica como *O Grinch*, você também precisa manter em mente as expectativas do público. Todos que entrassem em uma sala de cinema para ver *O Grinch* já teriam um sentimento sobre o que pensavam que a história fosse.

E ninguém mais viva ou mais firmemente do que Audrey Geisel. Ela era nossa plateia mais desafiadora — nossa plateia de uma só pessoa. Exibimos o filme para ela no Teatro Hitchcock, nas dependências da Universal Studios. Havia apenas cinco pessoas na sala. Audrey sentou-se bem na frente. Sentei-me trinta filas atrás, perto dos fundos, porque estava muito nervoso a respeito da reação dela. Alguns editores e caras do som sentaram-se nas fileiras entre nós.

Quando apareceram os créditos, Audrey começou a bater palmas. Ela estava radiante. Ela adorou. Sentado na sala de projeção, fiquei tão feliz por tê-la feito feliz que lágrimas escorriam pelo meu rosto.

Mesmo uma história clássica, totalmente familiar, não pode fazer sucesso sem o tipo de curiosidade elementar que trouxemos para *O Grinch*, de modo que todos concordem com a história que você está tentando contar e a forma como está tentando contar.[44]

Parece muito óbvio. Mas quantas vezes você esteve envolvido em um projeto no qual, ao chegar lá pela metade, descobriu que as pessoas envolvidas tinham entendimentos ligeiramente diferentes sobre o que você estava a fim — diferenças que acabaram por tornar impossível trabalhar efetivamente juntas, porque ninguém concordava realmente a respeito do objetivo?

Isso acontece todos os dias — em filmes, em *marketing*, em arquitetura e publicidade, no jornalismo e na política e em todo o resto do mundo. Acontece até nos esportes. Nada ilustra a falta de comunicação tão bem quanto um passe errado em um jogo da NFL.

É um pouco contraditório, mas, em vez de extraviar ou distrair, as perguntas podem manter você no curso.

Ser determinado diante de obstáculos é vital. Theodor Geisel, o Dr. Seuss, é um grande exemplo disso. Muitos de seus 44 livros permanecem *best-sellers* formidáveis. Em 2013, *Green Eggs and Ham* (Ovos verdes e presunto) vendeu mais de setecentas mil cópias nos Estados Unidos (mais que *Boa noite, Lua*); *The Cat in the Hat* (O gato no chapéu) vendeu mais de quinhentas mil cópias, assim como *Oh, the Places You'll Go!* (Oh, os lugares aonde você irá) e *One Fish Two Fish Red Fish Blue Fish* (Um peixe, dois peixes, peixe vermelho, peixe azul). E outros cinco livros do Dr. Seuss venderam mais de 250 mil cópias cada um. São oito livros com vendas totais de mais de 3,5 milhões de cópias em um ano (outros oito títulos de Seuss venderam cem mil cópias, ou mais). Theodor Geisel está vendendo onze mil livros do Dr. Seuss a cada dia do ano, apenas nos Estados Unidos, 24 anos depois de sua morte. Ele já vendeu seiscentos milhões de livros em todo o mundo desde seu primeiro livro, *And to Think That I Saw It on Mulberry Street* (E pensar que vi isso na Mulberry Street), que foi publicado em 1937. E, por mais consumado que o apelo do Dr. Seuss pareça agora, na

★ A curiosidade como um poder de super-herói ★

verdade *Mulberry Street* foi rejeitado por 27 editoras antes de ser aceito pela Vanguard Press. E se Geisel tivesse decidido que vinte rejeições bastavam para ele? Ou vinte e cinco?

Imagine a infância e a leitura sem o Dr. Seuss.[45]

Tenho a sensação de que chegamos ao mundo, recém-nascidos, e naquele instante a resposta é "sim". E é "sim" por um tempo depois disso. O mundo é benevolente conosco. Mas em algum momento o mundo começa a dizer "não", e, quanto mais cedo você começa a praticar formas de contornar o "não", melhor. Hoje em dia me considero impermeável à rejeição.

Estivemos falando sobre o uso da curiosidade quando o mundo diz "não". Mas com a mesma frequência o "não" pode vir de dentro da sua cabeça, e a curiosidade também pode ser a cura para esse tipo de "não".

Como mencionado anteriormente, quando tenho medo de alguma coisa, tento ficar curioso sobre ela — tento deixar o medo de lado o suficiente para começar a fazer perguntas. As perguntas fazem duas coisas: me distraem do sentimento enjoado e aprendo algo sobre o que me preocupa. Instintivamente, creio eu, todos sabemos disso. Mas às vezes você precisa lembrar-se de que a melhor maneira de dissipar o medo é enfrentá-lo, ser curioso.

Sou um orador nervoso. Sou bom em discursos, mas não gosto de me preparar para proferir uma fala, não me agrada nem necessariamente falar — o que eu gosto é depois de ter falado. A parte divertida é falar sobre o discurso com as pessoas depois de ter feito.

Para mim, cada vez que faço isso é um teste. Cá está como mantenho o nervosismo contido:

Primeiro, não começo a me preparar com muito tempo de antecedência porque, para mim, isso apenas abre a caixa da preocupação. Se começo a escrever o discurso com duas semanas de antecedência, então me preocupo todos os dias durante duas semanas.

Portanto, asseguro-me de ter tempo suficiente para preparar e começo a trabalhar na fala alguns dias antes de ter que proferi-la.

Faço a mesma coisa que fiz com *O Grinch*. Faço perguntas:

De que deve se tratar a fala?

Qual a melhor versão possível da fala?

O que as pessoas que vão ao evento esperam ouvir?

O que querem ouvir em geral?

O que querem ouvir de mim especificamente?

E quem é o público?

A resposta para cada uma dessas perguntas ajuda a criar uma moldura para o que devo falar. E na mesma hora as respostas deflagram ideias, anedotas e pontos que quero destacar — e me atenho a isso.

Estou sempre à procura de histórias para contar, histórias que destaquem os tópicos que quero destacar. Em termos de discurso, procuro histórias por dois motivos. As pessoas gostam de histórias — não querem ouvir um sermão, querem ser entretidas. E sei que as histórias que conto — mesmo que tropece ou perca o rumo, bem, são as minhas histórias. Na verdade, não posso esquecer o que estou tentando dizer. Não posso ter minha atenção desviada.

No fim, escrevo o discurso inteiro com um ou dois dias de antecedência. E ensaio várias vezes.

Escrever o discurso faz com que ele entre na minha cabeça.

Ensaiar também faz com que ele entre na minha cabeça — e o ensaio mostra as arestas ou pontos onde o tópico e a história não se encaixam perfeitamente, ou onde não tenho certeza de estar

★ A curiosidade como um poder de super-herói ★

contando a piada exata. Ensaiar me dá a chance de editar — do mesmo modo que se edita um filme ou uma reportagem de revista, ou uma apresentação de negócios, ou um livro.

Levo o texto integral do discurso comigo, coloco-o no pedestal e depois me posiciono ao lado e falo. Não leio as páginas. Eu tenho o texto, caso precise.

Mas geralmente não preciso.

Curiosidade requer trabalho?

Claro que sim.

Mesmo que você seja "naturalmente curioso" — seja o que for que essa frase signifique para você —, fazer perguntas, absorver as respostas, descobrir em qual direção as respostas apontam, descobrir quais outras perguntas você precisa perguntar, tudo isso é trabalho.

Eu me considero naturalmente curioso, mas também tenho exercido minha curiosidade em todos os tipos de situação, o dia inteiro, por quase sessenta anos. Às vezes você tem que se lembrar de usar a curiosidade — tem que lembrar a si mesmo de usá-la. Se alguém lhe diz "não", isso pode facilmente tirá-lo do rumo. Você pode ficar tão enredado em ser rejeitado, em não conseguir algo em que está trabalhando, que se esquece de fazer perguntas sobre o que está acontecendo. Por que estou ouvindo não?

Se você tem medo de discursar, pode ficar tão distraído ou desconcertado que evita em vez de se jogar. Isso prolonga a ansiedade e não ajuda no discurso, causa estragos. O discurso não se escreve por si, e a maneira de lidar com o nervosismo quanto ao discurso é trabalhar nele.

Verifiquei que usar a curiosidade para contornar o "não", quer o "não" venha de outra pessoa ou da minha própria cabeça, ensinou-me algumas outras formas valiosas de enfrentar a resistência, de aprontar as coisas.

Um conselho de grande utilidade veio de meu amigo de longa data Herbert A. Allen, banqueiro de investimentos e criador da notável conferência de mídia e tecnologia que ele realiza anualmente em Sun Valley, Idaho (chamada simplesmente de Conferência Allen & Co. Sun Valley).

Há muitos anos, ele me disse: faça o telefonema mais difícil do dia primeiro.

A ligação mais difícil do dia pode ser para alguém que você teme que vá lhe dar más notícias. A ligação mais difícil pode ser para alguém a quem você tem que dar más notícias. A ligação mais difícil pode ser para alguém que você quer ver em pessoa e pode estar lhe evitando.

Allen foi metafórico. A "ligação mais difícil" pode ser um *e-mail* que você tem que enviar, pode ser uma conversa que você precisa ter em pessoa com alguém no seu próprio escritório.

O motivo de considerar alguma coisa, seja ela qual for, a "ligação mais difícil do dia" é essa tal coisa ter algo de assustador. Será desconfortável de alguma forma — seja o encontro propriamente dito, ou o resultado do encontro. Mas o argumento de Allen é que uma tarefa dessas não será menos assustadora ao meio-dia ou às quatro e meia da tarde. Bem pelo contrário, a ansiedade de baixa qualidade da "ligação mais difícil" lançará uma sombra sobre o dia inteiro. Vai distraí-lo, talvez até deixá-lo menos eficiente. Com certeza vai deixá-lo menos receptivo.

"Faça a ligação mais difícil primeiro." Isso não é bem sobre curiosidade, e não é bem sobre determinação — é um pouco de

A curiosidade como um poder de super-herói

cada. É fibra. É caráter. Bote a mão na tarefa que deve realmente ser feita — por menos vontade que você tenha — e trate dela.

Isso limpa o ar. Ilumina o resto do dia. Pode, na verdade, redefinir a agenda de uma parte do dia. Dá confiança para enfrentar o que mais vier — porque você fez a coisa mais difícil primeiro. E, ainda que o resultado da "ligação mais difícil" normalmente seja o que você imaginava, às vezes também acontece uma surpresa.

Fazer perguntas sempre parece, na superfície, uma admissão de ignorância. Como admitir a ignorância pode ser o caminho para a confiança?

Esta é uma das muitas dualidades maravilhosas da curiosidade.

A curiosidade ajuda a dissipar a ignorância e a confusão, a curiosidade evapora a nebulosidade e a incerteza, esclarece desentendimentos.

Curiosidade pode proporcionar confiança. E confiança pode proporcionar determinação. E confiança e determinação podem proporcionar ambição. É assim que você vai além do "não", quer o não venha de outras pessoas ou de dentro da sua própria cabeça.

Se você aproveitar a curiosidade de seus sonhos, isso pode ajudar a dar força para torná-los realidade.

• • •

Cerca de uma década atrás, a revista de estilo *W*, de Nova York, fez um perfil meu com a manchete:

O MAGNATA

Brian Grazer, cujos filmes arrecadaram US$ 10,5 bilhões, é, sem dúvida, o produtor mais bem-sucedido do pedaço — e com certeza o mais reconhecível.

Seria o cabelo?[46]

As pessoas em Hollywood conhecem o cabelo, claro.

Algumas pessoas no resto do mundo — pessoas que talvez nem sequer saibam meu nome, mas conhecem *Uma mente brilhante*, *Arrested Development* ou *O código Da Vinci* — também conhecem o cabelo. "Aquele cara de Hollywood com o cabelo espetado" — essa é uma descrição comum de mim.

O cabelo faz parte da minha imagem, parte da minha personalidade.

E o cabelo não é por acaso. Claro que não é um acaso — porque tenho que colocá-lo na vertical com gel todas as manhãs.

Mas meu cabelo não é apenas um capricho da moda. Não é nem mesmo uma questão de gosto pessoal.

Depois de Ron Howard e eu termos feito alguns filmes, eu estava construindo uma reputação razoável em Hollywood. Claro que não era nada parecida com a visibilidade de Ron — ele era uma estrela, um diretor e ícone de uma época. Eu era um produtor e também um recém-chegado, especialmente se comparado a Ron.

Mas eu queria causar impressão. Hollywood é uma terra de estilo, um mundo onde a forma como você se apresenta tem importância. Muitas das pessoas que trabalham aqui têm uma aparência extremamente atraente, é o estilo delas. Não é o meu caso, e eu sei disso.

Quando Ron e eu botamos a Imagine para funcionar no início dos anos 1990, vivia-se um período em que os produtores de Hollywood estavam desenvolvendo um tipo de personalidade coletiva. Havia um grupo de produtores jovens e bem-sucedidos fazendo filmes ruidosos, agressivos. Eles mesmos eram ruidosos e agressivos — eram "gritalhões", gente que às vezes lidava com os colegas atirando coisas e gritando. E muitos deste mesmo grupo

★ A curiosidade como um poder de super-herói ★

usavam barba. Homens barbudos, agressivos, produzindo filmes agressivos.

Não era o meu caso. Eu não estava fazendo filmes ruidosos, não fico bem com pelos faciais. Trabalhei para alguns gritalhões no meu começo de carreira em Hollywood. Não gosto que gritem comigo e não sou de gritar.

Mas eu não queria simplesmente sumir no segundo plano. Senti que precisava me definir de uma forma que me tornasse memorável.

Assim, a questão de estilo pessoal — o que vestir, que aparência ter — estava na minha mente.

Tudo se encaixou numa tarde de 1993, quando nadava com minha filha Sage, na época com uns cinco anos. Ao vir à tona na piscina, passei os dedos pelo meu cabelo molhado, deixando-os em pé.

"Maneiro!", disse Sage.

Olhei para mim no espelho com o cabelo em pé e pensei: "Muito interessante".

Então, ericei-o com gel. Comecei naquele mesmo dia.

O cabelo foi notado. Produziu uma reação extrema e instantânea nas pessoas.

Eu diria que 25% das pessoas acharam legal.

Outras 50% ficaram curiosas. Por que você arruma o cabelo desse jeito? Como você arruma o cabelo desse jeito?

Algumas pessoas que já me conheciam entraram na categoria das curiosas. Perguntavam: Brian, qual é a desse cabelo? O que você está pensando? O que o levou a fazer isso?

E havia as outras 25% — as pessoas que odiaram o cabelo. O cabelo causava raiva nelas. Olhavam para meu cabelo e imediatamente concluíam que eu era um cuzão.

Adorei. Gostei mesmo de obter essa variedade extrema de reações. O cabelo inspirava curiosidade sobre mim. Logo depois que comecei a usar meu cabelo em pé, às vezes ouvia as pessoas falando dele quando pensavam que eu não conseguia escutá-las.

"Ei, o que há com Grazer? O que está fazendo com o cabelo?"

Michael Ovitz, o famoso superagente e poderoso intermediário de Hollywood, cresceu no negócio na mesma época que eu. Ele me pressionou. "Não use esse cabelo", disse Michael. "O pessoal de negócios não vai levá-lo a sério."

Algumas pessoas achavam que eu era arrogante por causa do cabelo.

O fato é que eu tinha sacado que o mundo de Hollywood é dividido em duas categorias — artistas e pessoal de negócios. Achei que esse estilo de cabelo me inclinava para a categoria de artista, onde eu ficava mais à vontade.

Depois de usar o cabelo espetado por alguns meses, pensei em parar. Parecia que muita gente falava dele.

Mas então percebi uma coisa: sim, o cabelo estava inspirando curiosidade sobre mim, mas o realmente interessante era que as reações das pessoas ao cabelo diziam mais sobre o que pensavam de mim do que elas revelavam — sobre mim ou meu cabelo.

Passei a ver meu cabelo como um teste para o mundo. Tive a sensação de que obtinha a verdade sobre o que as pessoas achavam de mim muito mais rapidamente do que tendo que esperar que ela viesse à tona. Então mantive o cabelo espetado.

De certa forma, o cabelo faz mais uma coisa por mim. Permite que as pessoas saibam que esse cara não é bem o que parece. Ele é um pouco imprevisível. Não sou um cara pré-embalado a vácuo. Sou um pouco diferente.

A curiosidade como um poder de super-herói

Por isso meu cabelo é importante.

Hollywood e o mundo do espetáculo são na verdade uma pequena aldeia e, como em qualquer indústria, existe um sistema bem definido de regras, práticas e tradições. Para conseguir as coisas, você tem que seguir as regras.

Veja bem, tudo que fiz foi eriçar meu cabelo com gel, como uma simples artimanha, e algumas pessoas foram completamente à loucura. Não algumas pessoas apenas — uma em cada quatro pessoas.

Meu cabelo não tem o menor impacto em qualquer roteiro, diretor ou talento, não muda a comercialização de um filme ou a bilheteria do fim de semana de lançamento. Mas deixou um monte de gente — algumas delas pessoas importantes — realmente desconfortável.

Agora imagine a reação, a resistência, quando se faz algo diferente em uma categoria onde isso realmente importa.

Mas eu não quero fazer o mesmo tipo de trabalho que todo mundo está fazendo. Não quero sequer fazer o mesmo tipo de trabalho que fazia há dez anos ou há cinco anos.

Quero variedade. Quero contar histórias novas — ou histórias clássicas de novas maneiras — tanto porque isso torna minha vida interessante, quanto porque torna interessante ir ao cinema ou ligar a TV.

Quero a oportunidade de ser diferente.

Onde obtenho a confiança necessária para ser diferente?

Muito dela vem da curiosidade. Passei anos como um jovem tentando entender o negócio em que estou. Passei décadas ligado em como o resto do mundo funciona.

135

As conversas de curiosidade me proporcionam um reservatório de experiência e *insight* que vai bem além de minha experiência pessoal.

Mas as conversas também me proporcionam muita experiência pessoal ao expor minha própria falta de conhecimento, minha própria ingenuidade. Na verdade, é uma prática de ser um pouco ignorante. Estou disposto a admitir que não sei, porque sei que é assim que ficarei mais esperto. Fazer perguntas pode parecer expor sua ignorância, mas faz realmente o contrário. Na verdade, pessoas que fazem perguntas raramente são consideradas estúpidas.

A epigrama que abre este capítulo — "A curiosidade vai conquistar o medo ainda mais do que a coragem" — vem de um livro do poeta irlandês James Stephens. A citação vai um pouco mais adiante e expõe um ponto central:

> "A curiosidade vai conquistar o medo ainda mais do que a coragem; com efeito, a curiosidade levou muita gente a perigos dos quais a mera coragem física se afastaria a tremer, pois a fome, o amor e a curiosidade são as grandes forças impulsoras da vida".

É isso que a curiosidade tem feito por mim, e acho que pode fazer por quase todo mundo. Pode dar a coragem para ser aventureiro e ambicioso. Ela faz isso deixando-lhe confortável ao ficar um pouco desconfortável. O início de qualquer jornada é sempre um pouco enervante.

Aprendi a surfar já adulto. Aprendi a pintar já adulto. Aprendi a surfar muito melhor depois de produzir *A onda dos sonhos*, um filme de empoderamento feminino que rodamos no litoral norte de Oahu. Algumas das pessoas que trabalhavam no filme foram surfar lá — surfar algumas das maiores ondas do mundo —, e fiquei fascinado com o funcionamento das ondas e como era andar nelas. Eu amo surfe — requer tanta concentração, apaga completamente as preocupações do momento. Também é totalmente emocionante.

Amo a pintura da mesma maneira. Acho totalmente relaxante. Não sou um grande pintor, nem sequer sou um pintor particularmente bom em termos técnicos. Mas descobri que muito do que importa na pintura é o que você tenta dizer, e não se você diz perfeitamente. Não preciso de grande técnica de pintura para _**encontrar**_ a verdadeira originalidade e ser energizado por ela. Aprendi a pintar depois de conhecer Andy Warhol e Roy Lichtenstein.

No surfe e na pintura, minha curiosidade venceu meu medo. Fui inspirado a fazer ambas as coisas por algumas das melhores pessoas do mundo nessas atividades. Eu não estava tentando ser um surfista de nível mundial ou um pintor de categoria mundial. Estava apenas curioso para saborear a alegria, a emoção, a satisfação que as pessoas obtêm por dominar algo difícil e gratificante.

Curiosidade proporciona poder. Não é o tipo de poder que vem de gritar e ser agressivo. É uma espécie de poder silencioso. É um poder cumulativo. Curiosidade é o poder para pessoas reais, é o poder para pessoas que não têm superpoderes.

Por isso protejo essa parte de mim — a parte que não tem medo de parecer ligeiramente ignorante. Não saber a resposta abre o mundo, contanto que você não tente esconder o que não sabe. Eu tento nunca ficar constrangido por não saber.

A constatação é que as pessoas que odiaram meu cabelo lá no início estavam certas. Tem um pouquinho de desafio. O cabelo parece apenas uma questão de estilo pessoal — para mim, é uma maneira de me lembrar todos os dias de que estou tentando ser um pouco diferente, que é bom ser um pouco diferente, que ser diferente requer coragem, assim como eriçar o cabelo com gel requer coragem, mas você pode ser diferente de uma forma que faça a maioria das pessoas sorrir.

Passo gel no cabelo toda manhã, é a primeira coisa ao acordar. Leva cerca de dez segundos. Nunca deixo de passar o gel. E, vinte anos depois de ter começado a fazê-lo, tornou-se minha assinatura — e minha abordagem de trabalho combina com meu cabelo. Além disso, é também uma ótima maneira de começar uma conversa e se destacar.

Em fevereiro de 2001, fui passar quatro dias em Cuba com um grupo de sete amigos que também são executivos de mídia. O grupo incluía Graydon Carter, editor da revista *Vanity Fair*; Tom Freston, então CEO da MTV; Bill Roedy, então presidente da MTV; o produtor Brad Grey; Jim Wiatt, então chefe da agência de talentos William Morris; e Les Moonves, presidente da CBS.[47]

Como parte da visita, tivemos um longo almoço com Fidel Castro. Castro vestia seu habitual uniforme verde do exército e falou conosco por intermédio de um tradutor durante três horas e meia — acho que sem sequer tomar fôlego. Foi o discurso habitual de Castro, basicamente sobre por que Cuba é incrível e os Estados Unidos estão condenados.

Quando ele parou de falar, olhou para mim — eu não era necessariamente a pessoa mais proeminente no grupo — e, via tradutor, fez apenas uma pergunta: "Como você deixa seu cabelo em pé desse jeito?". Todo mundo riu.

Até Castro adorou o cabelo.

*Curiosidade é
a chave para se
conectar e
permanecer
conectado.*

CAPÍTULO CINCO

TODA CONVERSA É UMA CONVERSA DE CURIOSIDADE

*"A conexão dá sentido à nossa vida.
É por causa da conexão que estamos aqui."*
— Brené Brown[48]

Na primavera de 1995, passamos a ter um novo chefe na Imagine Entertainment. Como qualquer um, eu queria causar uma boa impressão. Só não sabia bem como fazer isso.

Na verdade, eu não tenho um chefe no sentido convencional há trinta anos, alguém que possa me chamar e me dizer o que fazer, alguém a quem eu tenha que me reportar a curtos espaços de dias. Ron Howard e eu administramos a Imagine juntos — e junto com um monte de outras pessoas — desde 1986.

Durante esse tempo, tivemos nossa mais longa parceria com a Universal Studios — que financiou e distribuiu muitos dos filmes que produzimos. Assim, considero quem quer que esteja no comando da Universal meu "chefe", no sentido de que precisamos trabalhar bem com essa pessoa, desenvolver e sustentar uma forte relação pessoal e profissional para que possamos concordar sobre os tipos de filme que fazemos juntos. Dezenas de milhões de dólares estão sempre pendendo na balança.

Em meados da década de 1990, tínhamos feito uma série de filmes importantes e de sucesso com a Universal: *O tiro que não saiu pela culatra* (1989), *Um tira no jardim de infância* (1990), *Cortina de fogo* (1991) e *O jornal* (1994).

Quando Lew Wasserman comandou a Universal, eu quis conhecê-lo — melhor do que naquele encontro juvenil em que ele me deu o lápis e o bloco de anotações.

Quando a empresa japonesa de eletrônicos Matsushita comprou a Universal, eu quis conhecer seu executivo, Tsuzo Murase.

E, quando a Matsushita vendeu a Universal para a Seagram Company em 1995 — sim, a Universal Studios deixou de ser independente para ser propriedade de uma empresa japonesa de eletrônicos e depois ser propriedade de uma empresa canadense de bebidas —, eu quis conhecer o CEO de Seagram, Edgar Bronfman Jr.

Não ouvi falar de Bronfman durante as primeiras semanas após o acordo ser anunciado. Ouvi dizer que Bronfman tinha chamado Steven Spielberg e o diretor e produtor Ivan Reitman. Então fiquei imaginando o que fazer.

Eu era um produtor de cinema, produzindo muitos filmes com o que de repente se tornara uma empresa de Bronfman.

Edgar Bronfman era o CEO de uma empresa que na época fazia negócios de US\$ 6,4 bilhões por ano. Eu não sabia bem como entrar em contato.

Deveria ligar para o escritório dele?

Deveria mandar um *e-mail*?

Bob Iger, CEO da Disney, é um amigo chegado que certa vez

★ Toda conversa é uma conversa de curiosidade ★

me deu um conselho que guardei. Em certas circunstâncias, disse ele, "não fazer nada pode ser uma ação muito poderosa em si".

Iger tem anos de experiência em situações de alto risco e de alta pressão. Hoje em dia, no espaço de 72 horas, ele pode estar em Moscou com Vladimir Putin, a seguir em Londres no cenário do novo filme de *Guerra nas estrelas*, depois na China trabalhando na Disney de Xangai e então de volta a Los Angeles no jogo de basquete de um de seus filhos. No mesmo final de semana, ele pode voltar ansioso para falar sobre a biografia de oitocentas páginas de Winston Churchill que acabou de ler durante as viagens. A insistência de Bob na excelência e sua curiosidade de largo espectro são incansáveis.

Enquanto eu pensava em como abordar Bronfman, o conselho de Bob me ocorreu. Tenho a tendência de pensar que *ação* é a maneira de botar alguma coisa em ação. Sei ser paciente, mas em geral não deixo as coisas andarem por si. Dou cutucadas para fazer andar. Pelo menos foi assim que atuei nos primeiros anos de carreira. Dessa vez decidi esperar. Não fazer nenhuma ação.

"Não fazer nada pode ser uma ação muito poderosa em si."

Então a Casa Branca telefonou e resolveu o problema para mim.

Naquela primavera, estávamos nos preparando para lançar *Apollo 13* como estreia de verão — o filme entraria em cartaz em 30 de junho de 1995, em 2.200 cinemas. Em maio, recebemos uma ligação da Casa Branca convidando-nos para mostrar o filme para o presidente Bill Clinton, sua família e convidados três semanas antes do lançamento, em 8 de junho, na sala de projeções da Casa Branca.

É assim que funciona a exibição de filmes na Casa Branca — o filme em si é convidado à Casa Branca, e todas as pessoas responsáveis por fazê-lo vão junto.

Assim, Tom Hanks iria à exibição de *Apollo 13* na Casa Branca junto com sua esposa, Rita Wilson, bem como o astronauta que Hanks interpretou, Jim Lovell. O diretor do filme, Ron Howard, iria, e, como produtor, eu também iria. Também convidados: Ron Meyer, o chefe da Universal Studios, e Edgar Bronfman, CEO da empresa proprietária da Universal.

O que poderia ser mais perfeito?

Meu filme convidado para a Casa Branca — talvez a tela de cinema mais prestigiada de todo o país. E meu novo chefe na Universal convidado à Casa Branca não apenas para ver meu filme, mas *por causa* do meu filme.

Era a melhor apresentação para o chefe que você poderia querer.

Foi minha primeira vez na Casa Branca. A noite começou com um coquetel de recepção. Bronfman estava lá. O presidente Clinton e Hillary juntaram-se a nós (Chelsea não), alguns senadores e congressistas, um secretário de gabinete ou dois.

Após os coquetéis, fomos todos para a sala de cinema da Casa Branca, surpreendentemente pequena, com apenas sessenta lugares. Serviram pipoca. Tudo muito caseiro, absolutamente nenhuma extravagância.

O presidente Clinton assistiu ao filme inteiro. No término, no momento em que o controle da missão da NASA restabelece o contato por rádio com a cápsula da Apolo que retorna, enquanto o familiar trio de paraquedas branco e laranja aparece nas telas de TV no controle da missão, a sala explodiu em aplausos.

★ Toda conversa é uma conversa de curiosidade ★

Foi, como eu esperava, um ambiente maravilhoso para conhecer Edgar Bronfman. Muita gente competia pela atenção dele naquela noite, é claro, mas conversamos por alguns minutos. Bronfman, alto e esguio, é muito elegante e extremamente bem-educado. "Eu amo esse filme", ele disse. "Estou muito orgulhoso dele."

Ele estava de posse da Universal há apenas algumas semanas, mas dava para ver o quanto estava realmente animado com o negócio do cinema. Ele veio a Los Angeles três semanas mais tarde com sua esposa, Clarissa, para a estreia oficial de *Apollo 13*. A exibição na Casa Branca foi o começo de uma amizade e de uma relação de trabalho que se manteria ao longo dos cinco anos que Edgar possuiu e administrou a Universal como parte da Seagram.

Foi a primeira vez que me encontrei com o presidente Clinton, e, a exemplo do que muitas outras pessoas comentaram a partir da experiência delas, o presidente Clinton pareceu fazer questão de se conectar comigo — uma conexão que continua até hoje. O presidente Clinton claramente apreciou o espírito de *Apollo 13*, a forma como o filme retrata os engenheiros da NASA e os astronautas transformando um desastre potencial em um triunfo da engenhosidade norte-americana.

O presidente Clinton mais tarde se tornou um grande fã da série de TV *24 horas*, que estreou após o término de seu segundo mandato. No seu entender, ele me disse, *24 horas* tinha um gancho emocional especial. Ele disse que o programa capturava um monte de detalhes do trabalho da inteligência e do antiterrorismo com precisão — e, no final, Jack Bauer sempre pegava o cara mau. Na vida real, disse ele, o presidente e o pessoal da inteligência e defesa do país muitas vezes ficam emaranhados em burocracia e limitações legais, para não mencionar a incerteza. Para o presidente Clinton,

24 horas é uma experiência de realização de um desejo: às vezes, ele disse, teria sido bom mover-se com a ousadia e independência de Jack Bauer.

• • •

Até aqui, escrevi sobre curiosidade tentando compartimentar seus tipos — tentamos esmiuçá-la a fim de criar uma taxonomia para pensar, classificar e usar a curiosidade.

Como uma ferramenta para descoberta, como uma espécie de arma secreta para entender o que outras pessoas não entendem.

Como uma centelha de criatividade e inspiração.

Como forma de motivar a si mesmo.

Como ferramenta para a independência e autoconfiança.

Como a chave para contar histórias.

Como uma forma de coragem.

Mas acho que o uso mais valioso da curiosidade é um que ainda não exploramos. Na verdade, só recentemente deparei com esta qualidade de curiosidade — ou pelo menos a reconheci. É tão óbvia que, quando eu disser, você pode revirar os olhos. Mas também é oculta: é um tipo de curiosidade que podemos negligenciar e ignorar mais do que os outros, mesmo que tenha mais poder para melhorar nossa vida, a vida daqueles mais próximos de nós e a vida daqueles com quem trabalhamos todos os dias. Estou falando da conexão humana criada pela curiosidade.

Conexão humana é o elemento mais importante de nossa vida cotidiana — com nossos colegas e patrões, nossos parceiros românticos, nossos filhos, nossos amigos.

Conexão humana requer sinceridade. Requer compaixão. Requer confiança.

★ Toda conversa é uma conversa de curiosidade ★

Você pode realmente ter sinceridade, ou compaixão, ou confiança sem curiosidade?

Acho que não. Acho que, quando você para a fim de refletir — quando olha suas próprias experiências no trabalho e em casa —, fica muito claro que a conexão humana autêntica exige curiosidade.

Para ser um bom chefe, você tem que ser curioso sobre as pessoas que trabalham para você. E, para ser um bom colega, um bom parceiro romântico, um bom pai, você também tem que ser curioso.

Amor verdadeiro exige curiosidade, e sustentar esse amor requer a sustentação de sua curiosidade. Intimidade real exige curiosidade.

Eu uso a curiosidade todos os dias para ajudar a gerenciar pessoas no trabalho, não só de todas as maneiras sobre as quais conversamos, mas como uma ferramenta para construir confiança, cooperação e compromisso.

Eu uso a curiosidade todos os dias com minha noiva, meus filhos e meus amigos — não sempre tão habilmente quanto eu gostaria, confesso —, mas uso a curiosidade para manter meus relacionamentos vitais e frescos, para me manter conectado.

Conexão humana é a parte mais importante de estar vivo. É a chave para a felicidade sustentada e para um sentimento de satisfação com a maneira como você vive.

E curiosidade é a chave para se conectar e permanecer conectado.

Não faz muito tempo, tive uma reunião nos sofás de meu escritório com uma de minhas executivas de produção de filmes.

Ela veio falar sobre a situação de um filme em que estávamos trabalhando com um elenco de grandes estrelas do cinema e uma série de histórias entrelaçadas.

O encontro foi curto, apenas um relatório do progresso. Muitos filmes andam aos trancos e barrancos ao longo de muitos meses e muitas reuniões antes de chegar às telas de cinema ou ficar sem energia e simplesmente nunca serem feitos.

Este filme em particular já estava em andamento há mais de um ano, mas nenhuma cena fora rodada.

Escutei a atualização por alguns minutos antes de interromper suavemente. "Por que deveríamos fazer este filme?", perguntei. "Por que estamos *fazendo* este filme?"

Minha colega parou e me olhou. Ela estava na Imagine há bastante tempo e me conhecia muito bem. Respondeu à pergunta simplesmente recitando como entramos no filme, de forma rápida e resumida — quem o trouxe para nós, por que foi emocionante naquele momento.

Eu sabia de tudo aquilo. E ela sabia que eu sabia. Ela estava respondendo à pergunta de por que estávamos fazendo o filme, mas não estava respondendo à pergunta de por que *deveríamos* fazer aquele filme.

Poucos minutos depois, tentei novamente.

"Você ama esse filme?", perguntei.

Ela sorriu. Não sacudiu a cabeça, mas bem que poderia. Sem dizer uma palavra, o sorriso dela disse: *Se eu amo o filme? Que tipo de pergunta é essa? Eu amo a ideia de aprontar este filme depois de todas as reuniões, todas as negociações, todas as mudanças no elenco e no cronograma — é isso que eu amo.*

Ela desviou da minha pergunta como um boxeador esquivando-se de um soco. Amor? O que é amor? De momento o filme estava no limbo. Em certa época, nós o amamos: amamos a ideia, amamos o elenco, amamos o pacote, amamos o astral que criaríamos para

★ Toda conversa é uma conversa de curiosidade ★

as multidões dos cinemas na sexta-feira... um ano atrás. Agora, o filme só precisava ser guinchado do limbo. Quem poderia saber se nós ainda o amávamos? Era possível que não conseguíssemos amá-lo até vermos alguma coisa na tela.

Eu apenas concordei com a cabeça.

Minha colega assinalou mais algumas outras coisas — ela é bem organizada e em geral vem ao meu escritório com uma lista dos tópicos que precisa garantir que sejam falados. Quando terminou a lista, ela deu o fora.

Eu não disse a ela o que fazer a respeito do filme empacado.

E ela não perguntou o que fazer a respeito do filme empacado.

Mas ela sabia claramente o que eu sentia a respeito. Não amava mais o filme. Na real, não consegui me lembrar de ter amado muito. Achava que havia se tornado um fardo, tomando tempo, energia e emoção que deveríamos estar colocando em projetos que realmente amávamos.

Mas aqui está um elemento-chave da minha personalidade: não gosto de mandar nas pessoas. Não tenho motivação para dizer às pessoas o que fazer, não sinto nenhum prazer nisso.

Então eu lido com a curiosidade, fazendo perguntas.

Na verdade, hoje faço isso instintivamente. Não preciso parar e me lembrar de fazer perguntas em vez de dar instruções. Para muita gente, o trabalho hoje em dia é cheio de reuniões, conversas ou teleconferências, uma atrás da outra. Em um dia típico, tenho cinquenta conversas de alguma natureza. Mas prefiro tanto ouvir o que as outras pessoas têm a dizer que instintivamente faço perguntas. Se você ficar ao meu lado durante uma ligação telefônica, talvez ouça pouca coisa além de uma pergunta ocasional.

Minha sensação é de que a maioria dos gestores e chefes e a maioria dos locais de trabalho não funcionam assim.

Às vezes você tem que dar ordens.

Às vezes eu tenho que dar ordens.

Mas, deixando de lado as instruções de rotina que fazem parte da jornada de trabalho de todo mundo — pedir para telefonar para alguém, para procurar um dado, para agendar uma reunião —, quase sempre começo com perguntas.

Considero perguntas uma excelente ferramenta de gestão especialmente quando acho que alguém não está fazendo o que esperava que fizesse, ou quando acho que algo não está indo na direção que quero que vá.

As pessoas em geral imaginam que, se vai haver conflito, precisam começar com pulso firme, precisam lembrar às outras da cadeia de comando.

Nunca me preocupo com quem está no comando.

Estou preocupado em garantir que tenhamos a melhor decisão possível, o melhor elenco, roteiro, *trailer* do filme e acordo de financiamento possíveis, o melhor filme possível.

Fazer perguntas rende informações, claro.

Fazer perguntas cria espaço para que as pessoas levantem questões que lhes preocupam e que o chefe ou colegas podem não saber.

Fazer perguntas dá às pessoas a oportunidade de contar uma história diferente da que você está esperando.

Do meu ponto de vista, o mais importante é que fazer perguntas significa que as pessoas precisam defender suas opiniões sobre o rumo que desejam dar a uma decisão.

★ Toda conversa é uma conversa de curiosidade ★

Na indústria do cinema, tudo é uma questão de "defender a opinião". Com *Splash — Uma sereia em minha vida*, tive que defender meu ponto de vista centenas de vezes por sete anos. Depois de trinta anos de sucesso fazendo filmes, isso não mudou para mim. No verão de 2014, produzimos o filme *Get on up — A história de James Brown*, sobre o artista e seu monumental impacto na música que ouvimos todos os dias. Tate Taylor, que dirigiu *Histórias cruzadas*, dirigiu o filme. Mick Jagger coproduziu. Chad Boseman, que interpretou Jackie Robinson no filme *42 — A história de uma lenda*, estrelou como James Brown.

Trabalhei anos para fazer um filme sobre James Brown e sua música. A história dele é tão elementar, tão norte-americana. Não se trata apenas de James Brown ter vindo da pobreza e ter transpassado a discriminação — sua infância foi devastadora, ele foi abandonado pela mãe e pelo pai e cresceu em um bordel. Não teve muita instrução básica e não teve educação musical formal. Ainda assim, criou todo um novo som na música, um som irresistível. Criou uma nova maneira de se apresentar no palco. James Brown teve que ser totalmente autossuficiente, totalmente autocriado. Seu impacto sobre a música norte-americana é profundo. Mas ele pagou um preço enorme. A história dele é sobre encontrar a identidade e autoestima. É a história de um grande triunfo e também de tristeza, para ele e para os mais próximos a ele.

Eu tinha interesse pela música de James Brown e sua vida há vinte anos. Trabalhei por oito anos com o próprio James Brown para fazer um filme — comprei os direitos para retratar a sua vida, tentei conseguir a história e o roteiro certos, reuni-me com ele várias vezes. Mas, quando ele morreu em 2006, antes que tivéssemos conseguido fazer o filme, os direitos de sua história reverteram para seu espólio. Fiquei desanimado. Tivemos que começar tudo de novo.

Eu conhecia Mick Jagger, vocalista dos Rolling Stones, ligeiramente — encontrei-o várias vezes. Mick era tão apaixonado pelo poder da música e pela história de James Brown quanto eu. Após a morte de Brown, Mick me ligou. "Vamos fazer este filme juntos", ele disse. Mick sabia que eu tinha um roteiro de trabalho. Ele disse que ia tentar renegociar os direitos.

E então tivemos que defender a ideia novamente na Universal Pictures — que já havia perdido dinheiro durante minha primeira fase tentando fazer um filme sobre James Brown.

Mick e eu fomos ver Donna Langley, chefe da Universal Pictures. Ela é inglesa e cresceu adorando os Rolling Stones. Foi um encontro fantástico. Mick é tão gracioso, tão descontraído, tão eloquente. Ele falou a Donna sobre James Brown, sobre o roteiro, sobre o tipo de filme que queríamos fazer. Tudo naquele clássico sotaque de Mick Jagger. Ele tornou a coisa divertida. Tornou-a atraente.

E funcionou. Ainda assim, depois de eu estar no negócio de cinema há 35 anos, depois de ter ganho um Oscar, levei dezesseis anos para colocar *Get on up* na tela — e precisei da ajuda de Mick Jagger para que isso acontecesse.

Então, para sobreviver em Hollywood — e acho que para sobreviver e prosperar em qualquer negócio —, você tem que aprender a "defender a opinião" em tudo que quer fazer. Defender uma ideia significa responder a grandes perguntas: por que este projeto? Por que agora? Por que com este grupo de talentos? Com este investimento de dinheiro? Quem é o público (ou cliente)? Como vamos capturar a plateia, o cliente?

E a maior pergunta de todas — a pergunta que sempre puxo para o centro da conversa: qual é a história? De que se trata esse filme?

Defender a ideia também significa responder a perguntas detalhadas: por que essas músicas nessa ordem na trilha sonora? Por que essa atriz coadjuvante? Por que essa cena?

Nenhuma delas é uma pergunta de sim ou não. São perguntas em aberto — são perguntas em que a resposta pode ser uma história, às vezes curta, às vezes mais longa.

Faço essas perguntas e ouço as **_respostas_**. Às vezes escuto com uma expressão cética no rosto, tenho certeza. Às vezes ouço com um olhar distraído.

E às vezes é preciso fazer perguntas ainda mais abertas.

No que você está focado?

Por que está focado nisso?

Com o que você está preocupado?

Qual é seu plano?

Acho que fazer perguntas gera muito mais engajamento nas pessoas com quem você trabalha. É sutil. Digamos que você tenha um filme problemático. Você pergunta à executiva responsável por levar o filme em frente qual é o plano dela. Você está fazendo duas coisas ao fazer uma só pergunta. Você está deixando claro que ela deve ter um plano e está deixando claro que ela é responsável por esse plano. A questão em si implica tanto a responsabilidade pelo problema quanto a autoridade para a solução.

Se você trabalha com pessoas talentosas que querem fazer o trabalho que estão fazendo, elas vão querer assumir o comando. Mas é uma simples qualidade da natureza humana que as pessoas prefiram optar por fazer as coisas em vez de receber ordens para fazê-las. De fato, tão logo você me diga que tenho que fazer alguma coisa — dar um discurso, participar de um banquete, ir a Cannes —, imediatamente começo a procurar maneiras de evitar fazê-lo. Se você me convidar para fazer algo, fico muito mais propenso a querer fazê-lo.

Eu trabalho todos os dias com atores, gente linda, charmosa e carismática cujo trabalho é convencê-lo a acreditar neles. Ser um grande ator é isso — ter a capacidade de lançar um feitiço sobre a plateia, persuadi-la de que ele é a personagem que está retratando. Um grande ator cria verossimilhança.

Mas, se você parar para pensar por um momento, vai perceber que empregar gente assim é realmente uma dureza. Atores são difíceis de gerenciar, pois com frequência estão acostumados a conseguir o que querem e o talento deles é persuadi-lo a ver o mundo como eles querem. É esse o principal motivo para você contratá-los.

Sou eu o "chefe" do filme? O diretor é o "chefe" do filme? De maneiras diferentes, é claro, o produtor e o diretor são os "chefes" do filme.

Quando está numa locação, você pode gastar US$ 300.000 por dia para fazer um filme. São US$ 12.500 por hora, mesmo quando todos estão dormindo.

Então, se um ator fica furioso, ou amuado, ou quer que seu jato seja reabastecido, ele é a pessoa que balança o barco. Ele é a pessoa no comando.

Não dá para deixar as pessoas se comportarem mal. Mas também não se pode ferrar a psique de um ator. Se alguém acaba tendo uma má atitude, você não consegue o desempenho desejado.

★ *Toda conversa é uma conversa de curiosidade* ★

Quando existe um problema, quando existem problemas a trezentos mil dólares por dia, você quer encontrar uma maneira de ter uma conversa para poder convencer sua estrela ou estrelas a ajudar. Você quer atraí-las, não dar ordens a elas.

Em 1991, filmamos *Um sonho distante*. Tivemos Tom Cruise no papel principal. Tom estava no auge da carreira. Tinha apenas 29 anos de idade, mas já tinha feito *Top Gun — Ases indomáveis* (1986), *A cor do dinheiro* (1986), *Rain man — Encontro de irmãos* (1988) e *Nascido em 4 de julho* (1989).

Tom não é difícil de trabalhar. Mas *Um sonho distante* foi um filme desafiador de ser feito. É um épico à moda antiga, a história de dois imigrantes deixando a Irlanda rumo à América na virada do século passado. Filmamos na Irlanda e no oeste dos Estados Unidos. Ficou caro, mas o filme não era exatamente comercial. Quando calculamos o quanto ia custar, o estúdio me mandou encontrar maneiras de cortar o orçamento.

Fui ver Tom no *set*. Conversamos. Eu disse: "Olha, você não é o produtor deste filme. Mas todos nós queremos fazê-lo, todos nós temos a visão do filme que estamos fazendo como artistas, uma história que nos interessa. Vai custar caro, mas não podemos gastar tanto dinheiro quanto parece que iríamos gastar. Precisamos segurar".

Perguntei a Tom: "Você pode ser o líder de grupo com o elenco e a equipe? Pode ser o cara que dá o exemplo?".

Ele me olhou e disse: "Sou 100% esse cara!".

Ele disse: "Quando tiver que ir ao banheiro, vou correr até o *trailer* e correr de volta para o *set*. Vou dar o tom de excelência, respeito e contenção".

E foi exatamente o que ele fez. Ele liderou. Ele estava motivado. E motivou as outras pessoas.

Não cheguei lá e disse a Tom o que fazer. Não mandei todo mundo se esforçar mais, se virar com menos. Expliquei em que pé estávamos. E fui ao elemento principal, à pessoa que as outras pessoas respeitariam, e fiz uma pergunta a essa pessoa: "Você pode ser o líder aqui?".

Ser persuasivo, ser bem-sucedido em uma situação dessas não é nada garantido. Depende em parte da forma como você se apresenta. Acho que Tom apreciou o fato de eu ir até ele com um problema, tratá-lo como um igual, tratá-lo como parte da solução. Permiti a Tom ficar curioso sobre o problema e sobre como corrigi-lo.

Parte disso é do caráter de Tom — ele não pensa apenas em si.

Mas você tem uma chance muito maior de sucesso num momento decisivo como esse se pede a alguém para tomar a frente em grande estilo, em vez de mandá-lo tomar a frente em grande estilo. Tom fez isso.

Acho que pedir ajuda às pessoas — em vez de dirigi-las — quase sempre é a forma inteligente de fazer as coisas, independentemente do que esteja em jogo.

Por exemplo, acho que minha parceria com Ron Howard só funciona porque nunca dizemos um ao outro o que fazer. Sempre perguntamos.

Se eu preciso que Ron ligue para Russell Crowe, não digo: "Ron, preciso que você ligue para Russell Crowe". Digo algo como:

"O que você acha de ligar para Russell Crowe?".

Ou: "Você acha que seria uma boa ideia ligar para Russell Crowe?".

Ou: "Como você acha que Russell Crowe se sentiria se você ligasse para ele?".

★ Toda conversa é uma conversa de curiosidade ★

A menos que Ron me faça uma pergunta de sim ou não específica, nunca digo a ele o que fazer.

O mesmo é válido em meu relacionamento com Tom Hanks. Tom Cruise. Denzel Washington. Eu não mando, eu pergunto.

Claro que eu comunico o que quero. Mas deixo que escolham. Eles sabem o que eu quero, mas têm livre-arbítrio. Podem dizer não.

Isto não é apenas uma questão de estilo pessoal. O verdadeiro benefício de perguntar ao invés de declarar é que isso cria espaço para uma conversa, para uma ideia diferente, para uma estratégia diferente.

Confio plenamente em Ron Howard — confio em seus instintos artísticos, confio em seu julgamento nos negócios, confio em sua afeição e respeito por mim e pelo que criamos.

Então não vou dizer: "Ron, preciso que você ligue para Russell Crowe".

Vou dizer: "Ron, o que aconteceria se você ligasse para Russell Crowe?". Porque aí Ron pode franzir a testa e ter uma maneira diferente para chegar a Russell com qualquer ideia que tenhamos.

Eu descobri outra característica inesperada de utilizar perguntas: elas transmitem valores. Na verdade, as perguntas podem transmitir valores silenciosamente e de forma mais poderosa do que uma afirmação direta dizendo às pessoas o que se quer que elas defendam ou exortando-as sobre o que se quer que elas defendam.

Por que pergunto à minha executiva de produção de filmes se ela ama o filme que não está indo adiante? Porque quero que ela ame os filmes que faz para nós. Estamos neste negócio há muito tempo, e, a essa altura, a única razão para realizar um projeto é porque o amamos. Se eu digo a ela ou a qualquer outro: "Vamos fazer apenas filmes que você realmente ame", é fácil que isso soe

157

como uma meta ou uma teoria, ou, o pior de tudo, uma platitude.

Se eu pergunto diretamente: "Você ama esse filme?", a pergunta deixa claro o que considero realmente nossas prioridades.

Funcionou exatamente da mesma maneira com Tom Cruise e *Um sonho distante*. Se eu voasse de Los Angeles para a Irlanda e começasse a dizer para todo mundo que tínhamos que economizar dinheiro, que precisávamos filmar mais rápido, cortar efeitos, economizar nos custos das refeições, eu seria apenas o executivo de LA que viaja com as más notícias e as ordens de cortes.

Ao sentar calmamente com Tom e perguntar: "Você pode ser o líder aqui?", este é um momento repleto de valores. Preocupamo-nos com este filme. Temos que encontrar um jeito de proteger a integridade da história e ao mesmo tempo ficar dentro de um orçamento razoável. Preciso de ajuda. E tenho tanto respeito por Tom que lhe peço ajuda para resolver o problema, ajuda para gerenciar o filme. É uma mensagem poderosa, empacotada em apenas seis palavras, com uma interrogação no final em vez de um ponto.

• • •

Curiosidade no trabalho não é questão de estilo. É muito mais importante do que isso.

Se você é o chefe e gerencia fazendo perguntas, estabelece as bases para a cultura de sua empresa ou grupo.

Você deixa as pessoas saberem que o chefe está disposto a ouvir. Não se trata de ser "caloroso" ou "amigável". Trata-se de entender o quanto o mundo dos negócios modernos é complicado, o quanto a diversidade de perspectivas é indispensável e o quanto o trabalho criativo é difícil.

É difícil pelo seguinte: porque com frequência não há uma resposta certa.

★ Toda conversa é uma conversa de curiosidade ★

Considere por um momento um exemplo que parece muito simples: o *design* da página de busca do Google.

Quantas maneiras existem de se projetar uma página na *web*? Quantas maneiras existem de se projetar uma página de pesquisa na *web*? Infinitas, é claro.

A página do Google é lendária por sua aparência econômica, quase austera. Uma página limpa, uma caixa de pesquisa, o logotipo do Google, dois botões de busca: "Pesquisa Google" e "Estou com sorte". E espaço livre em branco. Hoje, a página inicial do Google é considerada um triunfo do *design* gráfico, um exemplo brilhante de como pegar algo tão complexo e caótico quanto a *web* e torná-lo simples e acessível. (Tanto o Bing quanto o Twitter parecem tentar canalizar a simplicidade e drama do Google para suas páginas iniciais — mas ambos não conseguem resistir a atravancar sua aparência.)

Duas coisas são fascinantes na história do *design* da página de pesquisa do Google. Primeiro, ela é um acidente. Sergey Brin, um dos dois cofundadores do Google, não sabia como fazer o código de computador HTML quando ele e Larry Page lançaram o mecanismo de busca em 1998; por isso projetou a página mais simples possível — era tudo que ele tinha habilidade para fazer.

Em segundo lugar, as pessoas acharam a página simples tão diferente do resto da *web* atravancada que não sabiam o que fazer. As pessoas costumavam sentar diante da página limpa esperando o resto carregar em vez de digitar a busca. O Google resolveu essa confusão colocando uma linhazinha de *copyright* no pé da página de pesquisa (ela não está mais lá) para os usuários saberem que a página tinha acabado de carregar.[49]

Assim, a história da brilhante página inicial do Google é

surpreendente principalmente porque ela não foi planejada e levou um tempo para seu brilhantismo ficar claro. Brin não sabia como codificar nada extravagante, então não o fez. E o que agora se tornou um exemplo influente de usabilidade em *design on-line* foi tão desconcertante quando lançado que as pessoas não conseguiam descobrir como usá-lo.

Mas a página inicial não é o Google em absoluto. O Google é a vasta gama de códigos e algoritmos de computador que permitem à empresa pesquisar na *web* e apresentar os resultados. Existem milhões de linhas de código por trás de cada pesquisa no Google — e milhões mais por trás do Google Mail, do Google Chrome, dos anúncios do Google.

Se podemos vislumbrar dezenas, centenas de maneiras de projetar uma página de pesquisa, imagine por um momento como todos esses códigos de computador poderiam ser escritos. É como imaginar as formas como um livro pode ser escrito, imaginar as formas como uma história poderia ser contada na tela. Para o Google, é uma história, só que escrita em zeros e uns.

É por isso que fazer perguntas no trabalho em vez de dar ordens é tão valioso. Porque a maioria dos problemas modernos — reduzir o colesterol, receber passageiros no avião de modo eficiente ou pesquisar todo o conhecimento humano — não têm uma resposta certa. Eles têm todos os tipos de respostas, muitas delas maravilhosas.

Para chegar às possibilidades, você tem que descobrir quais ideias e reações passam pela cabeça de outras pessoas. Você tem que fazer perguntas a elas.

Como você vê esse problema?

O que estamos deixando passar desapercebido?

★ *Toda conversa é uma conversa de curiosidade* ★

Existe outra maneira de resolver isso?

Como resolveríamos isso se fôssemos o cliente?

Isso é tão válido para filmes como para qualquer outro negócio. Eu amo os filmes que fizemos. Mas não produzimos a versão "certa" dos emblemáticos *Apollo 13* e *Uma mente brilhante*. Temos a versão da história que fizemos — a melhor versão com o elenco, equipe, roteiro e orçamento que tínhamos.

Tom Hanks é o rosto de *Apollo 13* no papel do astronauta Jim Lovell da vida real.

Russell Crowe captura o espírito, as lutas e a vida intelectual interior do matemático John Nash em *Uma mente brilhante*.

Ambos desempenharam os papéis com brilhantismo.

Mas evidentemente não é a única versão que poderia ser feita destes filmes — e se não tivéssemos conseguido contratar Hanks ou Crowe para os papéis principais? Teríamos contratado outro ator. E o filme inteiro seria diferente — mesmo se todos os outros atores, todas as outras pessoas por trás das câmeras e cada palavra do roteiro fossem idênticos.

Anna Culp, vice-presidente sênior para a produção de filmes da Imagine, está na companhia há dezesseis anos, tendo iniciado como minha assistente.

"Abordamos tudo como 'caso em desenvolvimento'", diz Anna sobre a cultura da Imagine. "Ao ter que responder perguntas, você sempre tem a chance de melhorar o filme e defender pontos de vista para melhorar o filme. Para mim, as perguntas não significam que alguém esteja sempre errado. Na maioria das vezes, não são decisões do tipo certo ou errado."

Ela prossegue: "Não dá para imaginar aqueles filmes que acabam amados por nós com um formato diferente em qualquer aspecto que seja. Mas, em situações como o filme de James Brown, *Get on up*, bem, ao longo de dezesseis anos, em momentos diferentes, houve versões diferentes do filme".

Anna Culp comenta ainda: "Para mim, as perguntas tornaram-se um hábito. Estou sempre perguntando: 'Por que estou fazendo este material, este filme?'. E sabe como é, se algo não der certo financeiramente, se não for um sucesso, você quer ter condições de olhar para trás e dizer: 'Ainda assim, é algo de que me orgulho'. As desvantagens das perguntas são, em certo sentido, as mesmas que as vantagens. Você se pergunta se está se comunicando e se está comunicando a coisa certa. Porque o chefe não está dizendo. Não faço ideia de quantas vezes voltei para meu escritório depois de uma reunião pensando: 'Será que estamos fazendo o filme certo? Será que estamos fazendo o filme da maneira correta? Estou me comunicando?'. Isso não é uma ciência. É um negócio criativo".

Como Anna deixa muito claro, esse tipo de "curiosidade de gestão" reverbera até os recantos do que as pessoas pensam sobre seu trabalho e de sua abordagem do trabalho no dia a dia.

Perguntas geram autoridade nas pessoas para que apresentem ideias e partam para a ação e também responsabilidade para levar as coisas adiante.

Perguntas criam espaço para todos os tipos de ideias e as faíscas para chegar a essas ideias.

O mais importante é que as perguntas enviam uma mensagem muito clara: estamos dispostos a ouvir até mesmo ideias, sugestões ou problemas que não esperávamos.

Por mais valiosas que as perguntas sejam quando você é o chefe, penso que são igualmente importantes em todas as outras direções no local de trabalho. As pessoas devem fazer perguntas a

★ Toda conversa é uma conversa de curiosidade ★

seus chefes. Aprecio quando me fazem o mesmo tipo de perguntas abertas que eu tão seguidamente faço.

O que você está esperando?

Qual é a sua expectativa?

Qual é a parte mais importante disso para você?

Esse tipo de pergunta permite ao chefe deixar claro coisas que ele pode *pensar* que estejam claras, mas que muitas vezes não estão claras coisa nenhuma.

Na verdade, as pessoas em todos os níveis devem fazer perguntas umas às outras. Isso ajuda a quebrar barreiras entre as funções em nossa empresa e em qualquer local de trabalho e também ajuda a esvaziar a ideia de que a hierarquia de trabalho determina quem pode ter uma boa ideia.

Eu gosto quando o pessoal da Imagine me faz perguntas por muitas razões, mas aqui está a mais simples e mais poderosa: se fazem uma pergunta, quase sempre ouvem a resposta.

As pessoas ficam mais propensas a levar em conta um conselho ou uma instrução direta se for algo que, antes de mais nada, tenham solicitado.

A Imagine dificilmente é um ambiente de trabalho perfeito. Temos nossa quota de reuniões maçantes e sessões de *brainstorming* improdutivas. Temos erros de comunicação, erros de interpretação, perdemos algumas oportunidades e empurramos em frente alguns projetos que deveríamos deixar passar.

Mas ninguém tem medo de fazer perguntas.

Ninguém tem medo de responder perguntas.

Tornar as perguntas uma parte central da gestão de pessoas e projetos é difícil. Faço isso instintivamente, em função de anos usando as perguntas para induzir as pessoas a falar e de uma inclinação natural para ouvir como os projetos estão andando em vez de dar ordens a respeito.

Acho que perguntas são uma ferramenta de gestão subvalorizada. Mas, se não são a maneira como você normalmente interage com as pessoas, será necessário um esforço consciente para mudar. E você tem que estar preparado para o fato de que, no início, fazer perguntas desacelera as coisas. Se você realmente quer saber o que as pessoas pensam, se você realmente quer que as pessoas assumam mais responsabilidades, se você realmente quer uma conversa sobre problemas e oportunidades — em vez de mandar as pessoas executar ordens —, isso leva mais tempo.

É como ser um repórter dentro de sua própria organização.

Se fazer perguntas não é seu estilo típico, de início esta abordagem pode intrigar as pessoas. Por isso, a melhor maneira de começar seria escolher um projeto específico e gerenciar esse projeto com perguntas. Se conseguir começar a usar a curiosidade no escritório, você vai verificar que, depois de um tempo, os benefícios são notáveis. A criatividade das pessoas desabrocha gradualmente. E você acaba sabendo muito mais — sabendo mais sobre as pessoas com quem trabalha todos os dias, sobre como a mente delas funciona e sobre o que está acontecendo com o trabalho em si.

O elemento mais importante deste tipo de cultura é que você não pode simplesmente deflagrar um turbilhão de perguntas — como um detetive de polícia ou um advogado fazendo um interrogatório no tribunal. Não fazemos perguntas a fim de nos ouvirmos perguntando.

Existem dois elementos-chave na cultura de questionamento. O primeiro é a atmosfera em torno da pergunta. Você não pode

★ Toda conversa é uma conversa de curiosidade ★

fazer uma pergunta em um tom de voz ou com uma expressão facial que indique que você já sabe a resposta. Você não pode fazer uma pergunta com aquela impaciência que indica que você não pode esperar pela próxima pergunta.

O motivo da pergunta tem que ser a resposta.

As perguntas e respostas têm que levar um projeto ou uma decisão em frente.

E você tem que ouvir a resposta. Você tem que levar a resposta a sério — como chefe, ou colega, ou subordinado. Se você não levar as respostas a sério, ninguém vai levar as perguntas a sério. Você só terá respostas calculadas para tirar todo mundo da conversa rapidamente.

As perguntas, em outras palavras, têm que vir de curiosidade genuína. Se você não é curioso o suficiente para ouvir a resposta, tudo que a pergunta faz é somente aumentar o cinismo e diminuir a confiança e o comprometimento.

• • •

Um dos heróis da minha infância foi Jonas Salk, o médico e cientista que descobriu como criar a primeira vacina contra a poliomielite. Salk era uma figura grandiosa.

Hoje em dia é difícil imaginar o medo que a pólio causava em pais e filhos norte-americanos. Doença devastadora, a poliomielite é uma infecção viral do revestimento da medula espinhal que matava as crianças, deixava-as permanentemente aleijadas ou tão severamente paralisadas que tinham de passar a vida dentro de um aparelho respiratório de ferro chamado pulmão de aço. A pólio era incurável e intratável. Crianças com o pescoço rígido ou dolorido eram levadas às pressas para o médico ou o hospital, e em alguns casos estavam mortas dentro de poucas horas.

E a pólio é contagiosa, embora o modo como se dissemina não tenha ficado claro durante o auge das epidemias. Por isso, quando as epidemias varriam os Estados Unidos, as pessoas mantinham as crianças em casa e longe de qualquer lugar onde houvesse aglomerações — as crianças não iam a cinema, acampamento de verão, praia ou piscina.

Em 1952, um ano depois que eu nasci, houve uma grande epidemia de poliomielite nos Estados Unidos — 58.000 pessoas contraíram a doença, 3.145 morreram, 21.269 ficaram com algum grau de paralisia.[50]

Só no mundo do entretenimento, o número de sobreviventes à pólio dá uma vívida noção do quanto a doença era generalizada e perigosa. Alan Alda teve poliomielite quando criança, assim como Mia Farrow, Mel Ferrer, Francis Ford Coppola, Donald Sutherland e Johnny Weissmuller. Arthur C. Clarke, escritor de ficção científica, teve poliomielite, bem como o grande editor de jornal Ben Bradlee e o violinista Itzhak Perlman, que ainda necessita de suportes metálicos e muleta para caminhar.[51]

Jonas Salk era um virologista determinado e de mentalidade razoavelmente independente que desenvolveu uma forma de "vírus morto" da vacina da poliomielite enquanto trabalhava na Universidade de Pittsburgh. A vacina utilizava partículas inativadas do vírus da pólio para estimular o sistema imunológico, de modo que as pessoas que recebiam duas doses da vacina ficavam imunes à infecção.[52]

Quando a vacina Salk foi anunciada em 1955, Salk tornou-se um herói nacional e em seguida mundial. Programas de imunização foram lançados imediatamente, e no final da década de 1950 houve apenas algumas centenas de casos de poliomielite relatados em

★ Toda conversa é uma conversa de curiosidade ★

todo o país. Dezenas de milhares de pessoas foram salvas de uma vida de desafio ou da morte. Todas puderam voltar a viver sem a sombra da pólio sobre sua existência.[53]

O Dr. Salk nasceu em 1914 e tinha apenas quarenta anos quando a vacina foi anunciada. Quando decidi conhecê-lo, ele havia montado um centro de pesquisa científica chamado Instituto Salk de Pesquisas Biológicas, em La Jolla, Califórnia, ao norte de San Diego.

Na época, Salk tinha sessenta e tantos anos e era difícil de contatar, quase impossível.

Trabalhei mais de um ano apenas para conseguir a atenção de alguém no escritório dele. Acabei descobrindo que a assistente do Dr. Salk era uma mulher chamada Joan Abrahamson, vencedora do Prêmio MacArthur, a chamada "bolsa de estudo para gênios".

Eu falava com ela regularmente. Ela sabia o quanto eu admirava o Dr. Salk e também o quanto estava interessado em conhecê-lo. E ela sabia que o Dr. Salk, embora mantivesse um perfil discreto, não era um cientista distraído clássico. O Dr. Salk tinha uma ampla gama de interesses e poderia gostar de aprender alguma coisa sobre a indústria do cinema.

Em 1984, não muito tempo depois de *Splash — Uma sereia em minha vida* ser lançado, Joan disse que o Dr. Salk falaria em um evento científico no Beverly Wilshire Hotel, em Beverly Hills, e que, se eu quisesse encontrá-los lá pela manhã, ele poderia passar algum tempo comigo no intervalo entre as atividades.

Não era a situação perfeita, claro. Grandes encontros de associações costumam ser lotados, com muita distração e repletos de agitação. Mas com certeza eu não diria não. No dia do encontro, acordei me sentindo meio gripado. Estava cansado, zonzo, a garganta um pouco irritada.

167

Quando cheguei ao Beverly Wilshire naquela manhã, acho que parecia adoentado. Se fosse qualquer outra coisa que não o encontro com Jonas Salk, eu teria dado a volta e ido para casa.

Encontrei-me com Joan, e me encontrei com o Dr. Salk. Era final da manhã. O Dr. Salk olhou para mim com uma leve preocupação e disse: "O que há de errado?".

Eu disse: "Dr. Salk, apenas não me sinto bem esta manhã, me sinto um pouco zonzo, um pouco adoentado".

Ele imediatamente disse: "Deixe-me buscar um copo de suco de laranja". E, antes que eu pudesse responder, ele zarpou para o restaurante e voltou com um copo grande de suco de laranja.

Isso foi muito antes de a maioria das pessoas ouvir falar da pesquisa de que suco de laranja pode ajudar a animá-lo se você estiver começando a adoecer. Ele disse: "Beba isso, vai elevar o açúcar no sangue, você vai se sentir melhor rapidamente".

Bebi o copo todo, e ele estava certo, funcionou.

Foi um primeiro encontro meio surpreendente. O Dr. Salk foi tão acessível, tão humano, tão perspicaz — não era um gênio isolado em seu próprio mundo. Ele portou-se, de fato, como um médico. Percebeu imediatamente que algo não estava certo e quis cuidar de mim.

Naquela manhã, nossa conversa foi breve, não mais que trinta minutos. O Dr. Salk era um homem franzino, muito simpático, muito envolvente, muito intelectual. Falamos um pouco sobre sua pesquisa no Instituto Salk (ele passou muito tempo tentando encontrar uma vacina para o HIV no final de sua carreira) e sobre o impacto de salvar muitas vidas. Ele era completamente modesto a respeito disso.

O Dr. Salk acabou me convidando para visitar o Instituto Salk,

★ Toda conversa é uma conversa de curiosidade ★

o que fiz, e desenvolvemos uma amizade. Ele ficou intrigado com a ideia de minhas conversas de curiosidade e propôs uma versão expandida. Sugeriu que nós dois convidássemos uma dupla de pessoas muito interessantes para um dia inteiro de conversa a ser realizado em minha casa de Malibu. Desse modo, seríamos seis ou oito, de diferentes atividades, passando o dia em um ambiente descontraído, falando de nossos problemas, trocando experiências e fazendo perguntas. Que ideia fabulosa. E a colocamos em prática.

O Dr. Salk convidou um especialista em robótica da Caltech e Betty Edwards, teórica e professora que escreveu o livro *Desenhando com o lado direito do cérebro*. Eu levei o diretor e produtor Sydney Pollack (*Entre dois amores*, *Tootsie*) e o produtor George Lucas, criador de *Guerra nas estrelas* e *Indiana Jones*, e George levou Linda Ronstadt, cantora que era sua namorada na época.

Foi tudo ideia do Dr. Salk. Ele estava curioso — em particular, estava curioso sobre como funciona a "mente de mídia", sobre o que pessoas como Lucas e Pollack pensam do mundo e do que criaram e estava curioso sobre a narração de histórias. Foi muito descontraído, muito despretensioso. Não resolvemos os problemas do mundo, mas com certeza juntamos em uma sala meia dúzia de pessoas que normalmente não se encontrariam.

No entanto, o momento com Jonas Salk de que me lembro mais vivamente é o instante em que nos conhecemos — aquela conexão honesta, simples e humana logo de cara. Embora estivesse no processo de me conhecer, o Dr. Salk percebeu que eu parecia abatido e foi atencioso o suficiente para perguntar por quê — e imediatamente ofereceu ajuda. Hoje em dia, ao que parece, é quase um choque quando as pessoas fazem perguntas sobre você e param por tempo suficiente para absorver a resposta.

Curiosidade cria empatia. Para se importar com alguém, você tem que ter conhecimento sobre ele.

Curiosidade cria interesse. Também pode criar entusiasmo.

Um bom primeiro encontro é preenchido com uma cascata de perguntas e respostas, a vibração de se descobrir uma nova pessoa, entender como ela se conecta a você e no que ela é diferente. Você não consegue determinar se é mais divertido fazer perguntas para seu acompanhante ou responder às perguntas dele.

Mas o que acontece meses ou anos mais tarde é que seu namorado ou namorada, seu marido ou esposa parece familiar. Essa é a beleza e a segurança de um relacionamento íntimo sólido: você sente que conhece a pessoa, que pode confiar nela e nas reações dela, que pode até mesmo prevê-las, talvez.

Você ama aquela pessoa. Ama a versão daquela pessoa que você mantém em sua mente e seu coração.

Mas a familiaridade é inimiga da curiosidade.

E, quando a curiosidade sobre os que estão mais próximos de nós se desvanece, é o momento em que a conexão começa a se desgastar. O desgaste é silencioso, quase invisível. Porém, quando paramos de fazer perguntas genuínas sobre aqueles ao nosso redor — e, o mais importante, quando paramos de ouvir direito as respostas —, é quando começamos a perder a conexão.

O que aconteceu no escritório hoje, meu bem?

Nada de mais. E você, que tal?

Imagine por um momento a imagem de um casal na faixa dos trinta e poucos anos: eles colocaram os dois filhos para dormir, são nove da noite, estão cansados, limpando a cozinha ou dobrando a roupa, ou estão sentados na sala de estar, ou estão se preparando para dormir. Estão pensando em todas as coisas triviais que

★ Toda conversa é uma conversa de curiosidade ★

se apinham no cérebro quando o dia se acalma: lembrei-me de confirmar presença naquela festa de aniversário? Como vou lidar com Sally na revisão do projeto de amanhã? Por que será que Tom foi tão frio recentemente? Esqueci-me de fazer as reservas de avião de novo! A conversa entre o casal é esporádica ou puramente pragmática — você faz isso, eu faço aquilo.

Talvez seja apenas um momento de cansaço e tranquilidade antes de dormir. Contudo, se você encadear noites como essa por um mês, se encadear um ano de noites como essa, é assim que as pessoas se afastam.

A familiaridade é confortável, até reconfortante. Mas o casal deixou de ser curioso um a respeito do outro — genuinamente curioso. Não fazem perguntas reais. Não ouvem as respostas.

É um pouco simplista, claro, mas a maneira mais rápida de restaurar a energia e o entusiasmo nos relacionamentos é trazer de volta alguma curiosidade real para dentro deles. Faça perguntas sobre o dia do seu cônjuge e preste atenção nas respostas. Faça perguntas a seus filhos sobre os amigos deles, sobre as aulas, sobre o que está empolgando na escola e preste atenção nas respostas.

Faça perguntas como você faria num primeiro encontro — pergunte sobre sentimentos, reações.

"Qual a sua opinião sobre...?"

"O que você achou de...?"

O que não funciona são as perguntas clássicas que todos nós fazemos com demasiada frequência: o que aconteceu no trabalho? O que aconteceu na escola?

Essas perguntas podem ser desconsideradas. "Nada". Essa é a resposta 95% das vezes. Como se sua esposa passasse oito horas no escritório ou seus filhos passassem oito horas na escola em silêncio, olhando para uma parede em branco, e então voltassem para casa.

Você precisa de perguntas que não possam ser respondidas com uma única palavra resmungada.

O que Sally achou de suas novas ideias para o lançamento do produto?

Está gostando das aulas de história do Sr. Meyer?

O que está pensando para o seu discurso na convenção da semana que vem?

Quem vai fazer teste para o musical deste ano?

Talvez devêssemos fazer alguma aventura neste fim de semana. O que você gostaria de fazer no sábado à tarde?

Quantos casamentos que caem na desconexão e no tédio poderiam ser auxiliados por uma retomada da curiosidade genuína de ambas as partes? Precisamos de lembretes diários de que, apesar de viver com essa pessoa, na verdade não a conheço *hoje* — a menos que faça perguntas sobre ela hoje.

Não valorizamos nossos relacionamentos com aqueles mais próximos de nós. Não só isso, como damos por certo que conhecemos essas pessoas muito bem, que sabemos o que aconteceu hoje. Que sabemos o que elas pensam.

Mas não sabemos. Isso faz parte da diversão da curiosidade e faz parte do valor da curiosidade: ela cria o momento de surpresa.

E, antes do momento de surpresa, vem o momento de respeito. Curiosidade genuína exige respeito — me importo com você, me importo com sua experiência no mundo e quero ouvir sobre ela.

Isso me leva de volta a Ron Howard. Sinto que conheço Ron como ninguém, e certamente confio nele em termos profissionais e pessoais. Mas jamais presumo que sei o que está acontecendo

★ Toda conversa é uma conversa de curiosidade ★

com Ron e jamais presumo que sei qual será a reação dele a alguma coisa. Eu pergunto.

Esse mesmo tipo de respeito, curiosidade e surpresa é tão poderoso em nossas relações íntimas quanto no trabalho. Nesse sentido, toda conversa pode ser uma conversa de curiosidade. Trata-se de mais um exemplo de que a curiosidade é fundamentalmente respeitosa — você não está apenas perguntando sobre a pessoa com quem está falando, você está genuinamente interessado no que ela tem a dizer, no ponto de vista e nas experiências dela.

No trabalho, você pode gerenciar pessoas falando coisas para elas — mas não consegue gerenciá-las muito bem assim. Para ser um bom gestor, você precisa entender as pessoas com quem trabalha e, se só você fala, você não pode compreendê-las.

E, se você não compreende as pessoas com quem trabalha, com certeza não pode inspirá-las.

Em casa, você pode estar na mesma sala que seu parceiro ou filhos, mas não pode estar conectado com eles a menos que consiga fazer perguntas sobre eles e ouvir as respostas. A curiosidade é a porta para abrir essas relações e para reabri-las. A curiosidade pode evitar que você fique solitário.

E a propósito: amo quando as pessoas são curiosas a meu respeito. Gosto quando fazem perguntas interessantes, gosto de uma bela conversa e gosto de contar histórias. É quase tão divertido ser objeto de curiosidade quanto ser curioso.

Curiosidade não se trata necessariamente de realizar alguma coisa — de dirigir-se a algum objetivo.

Às vezes, trata-se apenas de se conectar com as pessoas. Quer dizer, curiosidade pode ter a ver com manter a intimidade. Não se trata de uma meta, trata-se de felicidade.

★ UMA MENTE CURIOSA ★

• • •

Seu amor por alguém também pode, é claro, acionar sua curiosidade em favor desse alguém.

Meu filho mais velho, Riley, nasceu em 1986. Quando tinha cerca de três anos e meio, percebemos que havia algo de diferente no sistema nervoso, na psicologia e nas reações dele. Eu e a mãe de Riley, Corki — então minha esposa —, passamos muitos anos tentando entender o que estava acontecendo com ele em termos de desenvolvimento, e, quando tinha cerca de sete anos de idade, Riley foi diagnosticado com síndrome de Asperger.

Foi no início dos anos 1990, e o tratamento para Asperger na época era ainda mais incerto do que hoje. Riley foi uma criança feliz. Tinha tendência à sociabilidade. Nós o ajudamos a se conectar com o mundo da forma mais construtiva possível.

Tentamos diferentes estilos de educação. Tentamos uns óculos estranhos que alteravam a visão dele. Tentamos Ritalina — embora apenas brevemente. Obter a ajuda de que Riley precisa tem sido uma jornada constante para ele, para a mãe dele e para mim.

Enquanto Riley crescia, comecei a pensar sobre a doença mental e o estigma ligado a isso. Eu mesmo havia sobrevivido ao estigma, claro, devido à minha deficiência em leitura. Riley é uma pessoa gentil e agradável, mas, se você não entende como ele vê o mundo, você pode ficar perplexo com ele. Tive vontade de fazer um filme que lidasse para valer com as questões em torno da doença mental, que ajudasse a remover o estigma. Fui em busca de uma ideia.

Na primavera de 1998, Graydon Carter, editor da *Vanity Fair*, ligou e disse que eu tinha que ler um artigo da edição de junho, um trecho do livro de Sylvia Nasar chamado *Uma mente brilhante*,

★ Toda conversa é uma conversa de curiosidade ★

contando a história da vida de um matemático de Princeton ganhador do Prêmio Nobel, mas que também era atormentado por uma esquizofrenia devastadora. O trecho da revista era fascinante. Ali estava uma história sobre genialidade e esquizofrenia entrelaçadas, sobre realização, doença mental e superação do estigma — tudo isso na vida de um homem de verdade. Eu pensava em Riley enquanto lia as páginas da *Vanity Fair*.

Na mesma hora concluí duas coisas. Eu queria fazer um filme de *Uma mente brilhante* e sobre a vida do matemático laureado com o Nobel que também era esquizofrênico. E queria que fosse o tipo de filme que tocasse as pessoas e mudasse suas atitudes, mudasse até mesmo seu comportamento em relação aos que são diferentes — deficientes ou doentes mentais.

Parte do poder de *Uma mente brilhante* vem do seguinte *insight* notável: não é difícil só para os de fora se relacionar com alguém que é diferente. É difícil para a pessoa com doença mental se relacionar com todas as outras. Essa pessoa também se esforça para entender como o mundo funciona e luta para compreender as reações dos outros a ela.

Houve um leilão para os direitos de filmagem de *Uma mente brilhante*, e, como parte do leilão, conversei com Sylvia Nasar e também com o próprio John Nash e sua esposa Alicia. Eles queriam saber por que eu queria fazer o filme e que tipo de filme eu queria fazer.

Falei um pouco sobre meu filho, mas falei principalmente sobre a história de John Nash. Àquela altura eu já havia produzido dois filmes envolvendo a compra dos direitos da história de pessoas reais — *The Doors* e *Apollo 13*. Você tem que falar a verdade sobre o filme que quer fazer a respeito da vida das pessoas — você tem que falar a verdade e, se conseguir o filme, tem que cumprir o que prometeu.

Eu disse a John Nash que não iria retratá-lo como uma pessoa perfeita. Ele era brilhante, mas também era um cara arrogante, durão. Isso era importante. Ele teve uma história de amor linda com a esposa. Eu disse: "Quero fazer um filme que celebre a beleza de sua mente e seu romance".

E foi esse o filme que fizemos — foi esse o filme que o roteirista Akiva Goldsmith teve a habilidade de escrever, o filme que Ron Howard criou na tela como diretor, foram essas as pessoas que Russell Crowe e Jennifer Connelly retrataram tão vividamente.

Enquanto estávamos nos estágios iniciais do filme, fiquei pensando de que forma transmitir como funciona uma mente esquizofrênica — como mostrar na tela. O livro de Sylvia Nasar não tem a noção de realidade alternativa. Mas eu não queria que o filme de *Uma mente brilhante* retratasse John Nash apenas do ponto de vista das pessoas ao seu redor. Que não proporcionasse a revelação ou a conexão que procurávamos.

A solução apareceu antes de *Uma mente brilhante* estar muito avançado. Riley e eu estávamos assistindo *O iluminado*, de Stanley Kubrick, juntos. Há uma cena vívida em *O iluminado*, na qual Jack Nicholson está em um bar conversando com pessoas que não existem. Na mesma hora tive o estalo. Pensei que deveríamos encontrar uma maneira de mostrar a realidade de Nash — mostrar como funciona a mente do esquizofrênico mostrando como é o mundo do ponto de vista dele. E foi o que fizemos: no filme, a realidade de John Nash é mostrada de forma não diferente da realidade de todos os outros.

★ *Toda conversa é uma conversa de curiosidade* ★

Akiva Goldsmith captou a ideia perfeitamente — e acho que essa é a fonte do poder do filme em si, além das atuações de Russell e Jennifer, claro.

O filme foi mais que um sucesso. Foi bem em termos financeiros. Ganhou quatro Oscars — de melhor filme para mim e Ron, melhor direção para Ron, melhor roteiro adaptado para Akiva e melhor atriz coadjuvante para Jennifer. E John e Alicia Nash estavam conosco no Oscar naquela noite em 2002.

Mas o verdadeiro sucesso foi que o filme afetou a vida de muita gente. Pessoas chegavam a mim na rua — ainda chegam — dizendo: você me ajudou a entender o que meu filho, ou minha sobrinha, ou minha mãe está passando. Lembro-me de estar no supermercado Ralph's em Malibu não muito tempo depois da estreia do filme, e uma mulher vir a mim e dizer que o filme a levou às lágrimas.

Fiz *Uma mente brilhante* porque a história tocou-me pessoalmente. Além disso, a maneira como fizemos veio diretamente de minhas experiências. E, para mim, a maneira como fizemos torna o filme muito poderoso e muito valioso. Minha curiosidade e determinação em ajudar Riley me levaram a *Uma mente brilhante*. E minha experiência de ser pai dele e ver como ele experimenta o mundo nos levou a um tratamento totalmente original da doença mental. *Uma mente brilhante* é, sem dúvida, o filme mais gratificante que já fiz.

Sem curiosidade, não existe democracia.

CAPÍTULO SEIS

BOM GOSTO E O PODER DA ANTICURIOSIDADE

"Se não somos capazes de fazer perguntas céticas, de interrogar aqueles que nos dizem que algo é verdade, de ser céticos com figuras de autoridade, ficamos à mercê do próximo charlatão — político ou religioso — que chegue de mansinho."
— Carl Sagan[54]

Os filmes que fazemos na Imagine têm uma grande variedade de cenários, histórias e tons.

Fizemos um filme sobre a realização do sonho americano — e o personagem central era um afro-americano semianalfabeto tentando ascender no comércio de heroína da Nova York da década de 1970. Esse filme, *O gângster*, é também sobre os valores do capitalismo norte-americano.

Fizemos um filme sobre o poder e a paixão do futebol americano colegial no Texas rural. É um filme sobre como os meninos crescem, como descobrem quem realmente são, é sobre trabalho em equipe, comunidade e identidade. É também sobre decepção, porque, no clímax de *Luzes de sexta à noite*, o Permian High Panthers perde o grande jogo.

Fizemos um filme chamado *8 Mile — Rua das ilusões* sobre um artista de hip-hop — um artista branco de hip-hop.

Fizemos um filme sobre o filme *Garganta profunda* e sobre como esse filme pornográfico sobre sexo oral veio a definir um momento crítico em nossa cultura.

Fizemos um filme sobre um matemático ganhador do Prêmio Nobel — mas *Uma mente brilhante* na verdade é sobre o que significa ser doente mental, ser esquizofrênico e ainda assim tentar funcionar no mundo.

Duas coisas são verdadeiras a respeito desses filmes.

Primeiro, são sobre o desenvolvimento do caráter, sobre descobrir falhas e pontos fortes e superar ferimentos emocionais para se tornar uma pessoa completa. Para mim, o sonho americano diz respeito a superar obstáculos — as circunstâncias de seu nascimento, uma educação limitada, a forma como outras pessoas percebem você, algo dentro de sua própria cabeça. Superar obstáculos é em si uma forma de arte. Portanto, se os filmes que faço têm um tema único, este tema é como alavancar seus limites para o sucesso.

Em segundo lugar, ninguém em Hollywood queria realmente fazer nenhum desses filmes.

Falei sobre usar a curiosidade para contornar o "não" que é tão comum em Hollywood e no trabalho em geral. A primeira reação à maioria das ideias um pouco fora do convencional é o desconforto, e a primeira reação ao desconforto é dizer "não".

Por que glorificamos um traficante de heroína?[55]

★ Bom gosto e o poder da anticuriosidade ★

O time de futebol não deveria vencer o grande jogo?

Quem quer assistir um filme inteiro sobre a batalha de um artista branco de hip-hop?

Para mim, a curiosidade ajuda a encontrar ideias inusitadas, diferentes e interessantes. A curiosidade fornece o amplo espectro de experiência e entendimento da cultura popular que me proporciona um instinto para saber quando algo novo pode ressoar. E a curiosidade me dá coragem, coragem de ter confiança nas ideias interessantes, mesmo que não sejam ideias populares.

Às vezes você não quer apenas atrair uma multidão para algo convencional, você deseja criar uma multidão para algo anticonvencional.

Gosto de projetos com alma — histórias e personagens com coração. Gosto de acreditar em alguma coisa. Gosto da ideia do iconoclasta popular — fazer trabalho de vanguarda, mas não de vanguarda demais.

É o que acontece quando deparo com algo muito importante e muito na contramão. Deparo com os limites da curiosidade.

Às vezes é preciso anticuriosidade.

Quando tenho uma ideia que amo e é anticonvencional, eventualmente tenho que dizer: "Vou fazer isso".

Não me diga por que é uma má ideia — eu vou fazer. Isso é anticuriosidade.

Anticuriosidade não é apenas a determinação de agarrar a ideia interessante e levá-la em frente diante de ceticismo e rejeição. Anticuriosidade é algo muito mais específico e importante.

É o momento em que você literalmente encerra a curiosidade, resiste a aprender mais, quando pode ter que dizer às pessoas "não, tudo bem, não me dê todas as suas razões para dizer não".

O que quero dizer é o seguinte: quando está tratando de apoio financeiro e de elenco para um filme, você já elaborou a defesa do filme para si mesmo na sua cabeça. Você repassou várias vezes por que a história é interessante, por que o roteiro é bom, por que as pessoas com quem você quer fazer o filme combinam com a história e o roteiro.

Em Hollywood todo mundo sabe como "defender o caso". É o que fazemos uns com os outros o dia inteiro. E qualquer produtor, diretor ou ator de sucesso é excelente em "defender o caso".

Você pode pensar que, quando me dizem "não", na mesma hora fico curioso sobre por que estão dizendo "não". Talvez estejam presos a algo pequeno, algo que eu poderia consertar facilmente. Talvez quatro pessoas em sequência façam a mesma crítica, deem o mesmo motivo para o "não" — e por que eu não iria querer saber disso? Talvez depois de ouvir por que uma ideia não conquista apoio eu mude de ideia, como um político inteligente lendo pesquisas de opinião.

Mas isso não funciona. Você apenas acaba remodelando uma história interessante e pouco convencional em uma história diferente para combinar com a concepção popular.

Então, quando me dizem "não", quase sempre, *é* isso aí. Não quero que desenvolvam um longo e persuasivo argumento sobre por que acham que minha ideia não é boa, ou não é certa ou poderia ser muito melhor se eu a reconfigurasse de alguma forma.

Recuso todos esses retornos porque temo ser dissuadido de algo em que realmente acredito. Temo ser persuadido a algo em que não acredito só porque alguém inteligente e persuasivo está sentado na minha frente, defendendo o caso *dele*.

★ Bom gosto e o poder da anticuriosidade ★

Se tenho uma opinião formada sobre algo fundamental como um filme que devemos fazer, se dediquei muito tempo a isso, muito dinheiro, muita curiosidade, então não quero mais nenhuma informação. Não quero que você tente "recontextualizar" uma decisão artística que tomei.

Obrigado, mas não quero sua crítica.

Porque eis aqui outra coisa que eu sei com certeza.

Você não sabe o que é uma boa ideia.

Pelo menos, você não sabe o que é uma boa ideia mais do que eu. Ninguém em Hollywood realmente sabe o que é uma boa ideia antes de um filme chegar às telas. Só sabemos se é uma *boa* ideia depois que está feito.

A propósito, isso não diz respeito a sucesso. Na Imagine fizemos alguns filmes que foram sucesso, mas não foram necessariamente ótimos filmes. Muito mais importante foi que fizemos alguns ótimos filmes que não foram grandes sucessos de bilheteria: *Rush — No limite da emoção, Get On Up — A história de James Brown, Frost/Nixon, The Doors.*

De saída, minha paixão por alguma coisa que considero uma boa ideia, uma ideia interessante, é tão válida quanto a decisão de alguém de que aquilo não é uma boa ideia. Mas a certeza de que uma ideia é interessante é uma coisa frágil. Requer energia, determinação e otimismo para seguir adiante. Não quero que a negatividade de outras pessoas entre na minha cabeça, minando minha confiança. Não preciso ouvir uma lista de críticas — sejam sinceras ou não. Quando está tentando fazer um filme, quando está defendendo o seu caso, você passa meses ou anos trabalhando e precisa desenvolver uma espécie de invulnerabilidade para fazer e proteger a obra.

Quando estou tratando com pessoas que quero que se juntem a nós, funciona mais ou menos assim:

Eu envio o *script*, envio todas as informações — sou o produtor, Ron Howard é o diretor, o orçamento é tanto, o elenco é tal.

Depois de algum tempo, telefono. As pessoas dizem: "Vamos passar".

Eu digo: "Vão passar? Mesmo? Têm *certeza* de que vão passar? Ok, então, muito obrigado. Muito grato por terem lido".

Se é algo que considero realmente adequado para a pessoa com quem estou falando — se acho que ela está cometendo um erro —, posso dizer: "Você não pode dizer não! Você tem que dizer sim!".

Mas é isso. Sem curiosidade. Muro erguido. Anticuriosidade.

Porque não preciso de alguém lançando dúvidas quando esse alguém passou uma hora pensando no projeto e eu passei três anos pensando. Se dizem não, preciso de toda a minha determinação e confiança para ficar firme na ideia e levá-la à próxima pessoa com o mesmo nível de paixão e entusiasmo. Você não consegue realizar nada tentando absorver e neutralizar as críticas dos outros.

Houve momentos em que fui um pouco rápido demais com minha anticuriosidade. Ron Howard e eu abrimos o capital da Imagine Entertainment em 1986.[56] Pensamos que seria uma forma inovadora de gerir uma empresa criativa. Mas empresas de capital aberto são muito mais complicadas de gerir do que empresas privadas — e isso se mostra particularmente verdadeiro em um tipo de negócio incerto como produção de cinema e TV. Ficamos descapitalizados. Ficamos desconfortáveis com todas as regras de empresas de capital aberto — o que tínhamos que revelar, o que podíamos falar, o que não podíamos falar. Depois de sete anos, Ron e eu recompramos a empresa dos acionistas em 1993.

★ Bom gosto e o poder da anticuriosidade ★

Antes de abrirmos o capital, com certeza não ficamos nem de longe curiosos o bastante sobre o que ser uma empresa "de capital aberto" exigiria de nós.

No que se refere a filmes, há um caso realmente memorável no qual eu não deveria ter suspendido minha curiosidade — o peculiar *Cry-Baby*, de 1990. A curiosidade me fez entrar nesse filme. O *script* foi enviado pelo diretor John Waters. Eu li. Fiquei atraído.

Eu recém tinha visto e adorado *Hairspray — Em busca da fama*, que Waters escreveu e dirigiu. Pensei que *Cry-Baby* poderia ser ou um fracasso ou um sucesso inesperado como *Grease — Nos tempos da brilhantina*. Eu disse sim. Conseguimos um elenco incrível para trabalhar com John Waters — Johnny Depp no papel principal (foi o filme com o qual ele decolou) e também Willem Dafoe, Patty Hearst, Troy Donahue, Joey Heatherton, Iggy Pop, Traci Lords.

Adorei trabalhar com John Waters. Adorei trabalhar com Johnny Depp. Mas teve uma coisa que não fiz: não vi outros filmes de John Waters. Algumas pessoas me disseram para fazer isso — antes de pagar um filme de John Waters, disseram, vá assistir uns filmes de John Waters. Ele não é exatamente convencional. Disseram para eu assistir pelo menos *Pink Flamingos* (Flamingos cor-de-rosa), que é deveras ousado, antes de dar o sinal verde para *Cry-Baby*.

Não quis saber de nada. Eu não queria nenhuma hesitação em minha psique. Eu tinha decidido que estava curioso o suficiente — curioso o suficiente para ver o que aconteceria com esse filme de John Waters.

Cry-Baby foi um fracasso de bilheteria.

A lição foi muito clara: eu deveria ter assistido filmes anteriores de John Waters. Deveria ter assistido *Pink Flamingos*. Não refleti em absoluto sobre aquele *script*. Fiquei empolgado e não quis questionar meus instintos.

Então, como você sabe quando não ser curioso?

Parece mais difícil de descobrir do que realmente é.

Na maioria das vezes, a curiosidade é energizante. Motivadora. Leva a lugares onde você não esteve, apresenta pessoas que você não conhecia, ensina algo novo sobre as pessoas que você já conhece.

Às vezes a curiosidade conduz a lugares extremamente desagradáveis ou dolorosos, mas importantes. É difícil ler sobre abuso infantil, é difícil ler sobre guerras, é difícil ouvir as experiências dolorosas de pessoas que você ama. Mas, em todos esses tipos de casos, você tem a obrigação de aprender, escutar, entender.

Às vezes é preciso ouvir as pessoas fazendo críticas a você — um chefe inteligente pode dar grandes conselhos sobre como ser mais eficaz no trabalho, como escrever melhor ou ser mais persuasivo. Um colega pode ser capaz de dizer como você se sabota ou prejudica seu trabalho, ou causa danos a relacionamentos que precisariam ser nutridos.

Nesses casos, há algo construtivo advindo da curiosidade, de ouvir, mesmo que a conversa em si possa ser desagradável.

Você deve deixar de ser curioso quando os resultados são exatamente o oposto do que você precisa — quando enfraquecem seu impulso, drenam seu entusiasmo, corroem sua confiança. Quando você recebe uma crítica, mas não muito na forma de ideias úteis, este é o momento para uma pitada de anticuriosidade.

• • •

Admito que não sei exatamente de onde vêm as ideias interessantes. Mas sei genericamente: elas vêm de se misturar muitas experiências, informações e perspectivas e então notar algo

★ Bom gosto e o poder da anticuriosidade ★

incomum, revelador ou novo. Mas não é tão importante saber de onde vêm as boas ideias. O importante é reconhecer que uma ideia é interessante quando você a vê.

Isso representa um problema, claro, porque acabei de dizer que ninguém em Hollywood sabe realmente o que é uma boa ideia até a vermos no mundo lá fora.

Mas eu sei o que considero uma boa ideia, uma ideia interessante, quando a vejo.

Uma série de TV construída em torno da captura de um terrorista, na qual o mocinho corre atrás do relógio em tempo real. Isso é uma ideia interessante.

Um filme sobre como um homem — um homem muito inteligente e também muito esquisito — veio a moldar o FBI por quarenta anos e, com isso, moldar o combate ao crime e a própria América. Isso é uma ideia interessante.

Jim Carrey como um advogado que não pode contar uma mentira durante 24 horas. Isso é uma ideia interessante.

Tom Hanks como um professor de Harvard que precisa encontrar o Santo Graal para livrar-se da acusação de homicídio e que no processo revela os segredos mais profundos da Igreja Católica. Isso é uma ideia interessante.

Todas essas ideias funcionaram muitíssimo bem — achei que eram boas ideias, reunimos uma equipe por trás de cada uma delas, e as equipes fizeram bons filmes e programas de TV.

Tivemos ideias interessantes que não funcionaram tão bem. Que tal Russell Crowe como um pugilista decadente da década de 1920 que faz um retorno fabuloso e se torna campeão mundial? Foi o filme *A luta pela esperança*, que não foi um grande sucesso de público. Mas é um bom filme.

★ UMA MENTE CURIOSA ★

Que tal um filme dramatizando quatro entrevistas de David Frost com o desacreditado presidente Richard Nixon? Também não foi um grande sucesso de público. Mas *Frost/Nixon* é um bom filme — recebeu cinco indicações ao Oscar e cinco indicações ao Globo de Ouro.

Você pode gostar ou não desses programas de TV ou filmes. O importante é que achei que eram ideias que valiam a pena quando chegaram a mim, eu as reconheci como interessantes. Trabalhei com paixão para desenvolver cada uma delas. Não apenas achei que fossem ideias interessantes, acreditei que fossem e então agi como se fossem ideias interessantes.

Pois bem, como eu soube que elas valiam a pena?

É uma questão de gosto.

Eram boas ideias — na minha opinião. Mas minha opinião sobre algo como um filme ou programa de TV não é a mesma da pessoa que compra um ingresso e um balde de pipoca para ver *O mentiroso* ou *A luta pela esperança*.

Minha "opinião" sobre este tipo de narrativa baseia-se em décadas de experiência — em ouvir pessoas falarem sobre ideias para filmes, ler suas propostas, ler seus roteiros, ver o que acontece entre a ideia, o roteiro e a tela. Minha opinião é baseada na compreensão, vezes e mais vezes, do trabalho necessário para criar filmes e programas de TV de qualidade — e em tentar entender por que a qualidade às vezes influi e às vezes não influi na popularidade.

Minha opinião é baseada em algo que as pessoas de fora do *show business* nunca veem — tudo a que eu digo "não". Porque eu digo "não" tanto quanto qualquer um. As histórias que nos propõem e que não fazemos são uma medida de gosto tão importante quanto as que fazemos. Tentamos fazer filmes que amamos, como

★ Bom gosto e o poder da anticuriosidade ★

tentei deixar claro na conversa que tive sobre o filme empacado. Queremos fazer filmes com um senso de bom gosto.

Acho que tenho bom gosto para filmes. Mas claro que é a minha noção de gosto. Steven Spielberg tem bom gosto para filmes, James Cameron tem bom gosto para filmes — mas os filmes deles não se parecem em nada com os nossos filmes.

Se você tem bom gosto, três coisas são verdadeiras. Primeiro, você tem condições de julgar a qualidade de algo, seja música ou arte, arquitetura ou culinária, filmes ou livros. Em segundo lugar, sua sensação de que algo vale a pena é individual — você traz uma perspectiva para seus julgamentos. E, em terceiro lugar, há também algo de universal em seus julgamentos — seu gosto pode ser entendido e apreciado por pessoas não tão experientes quanto você, cuja noção de gosto não seja tão bem desenvolvida quanto a sua. Seu bom gosto é culto, tem um toque de individualidade e também uma certa amplitude de apelo.

De fato, gosto é isso: uma opinião culta e experiente que você pode articular e sobre a qual outras pessoas podem concordar ou discutir.

O que eu considero uma boa ideia vem da aplicação de meus quarenta anos de experiência — meu gosto — às ideias que surgem em meu caminho. É um pouco mais complicado do que isso, claro — posso achar que uma coisa é uma boa ideia e não é comercialmente viável, ou posso escolher o projeto casual que é apenas diversão, que na verdade não atinge o topo da curva em termos de gosto, mas é muito divertido.

Portanto, para encontrar ideias interessantes, ter boas ideias, a maioria de nós precisa de curiosidade.

E, para reconhecer essas ideias com confiança real, você precisa de bom gosto.

E, para desenvolver a noção de gosto — de estilo pessoal e julgamento experiente — você também precisa de curiosidade.

É daí que vem, em grande parte, minha noção de gosto: da curiosidade — e da experiência.

Se você ouviu apenas uma música na vida, digamos, "Gimme Shelter", dos Rolling Stones, você não pode ter um senso de gosto musical bem desenvolvido. Se sua experiência em arte é apenas Andy Warhol — ou apenas Andrew Wyeth —, você não pode ter um senso evoluído de gosto para arte.

Você pode dizer: ei, realmente gostei dessa canção. Ou: ei, realmente não me interessei pelas pinturas de Andrew Wyeth. Mas isso não é gosto, é opinião.

Desenvolver noção de gosto significa expor-se a uma ampla variedade de algo — uma ampla variedade de música, uma ampla variedade de arte — e não apenas se expor, mas fazer perguntas. Por que Andy Warhol é considerado um grande artista? No que ele estava pensando quando fez sua arte? O que outras pessoas acham da arte dele — pessoas com gosto bem desenvolvido? Que outra arte foi produzida na mesma época de Warhol? Quais são as melhores peças dele? Quem acha a arte dele maravilhosa? Que outros artistas Warhol influenciou? Que outros setores da cultura Warhol influenciou?

Obviamente, gostar daquilo em que você está prestando atenção ajuda, porque desenvolver um senso de gosto exige comprometimento. Não faz sentido desenvolver uma noção de gosto em hip-hop se você realmente não gosta de ouvir hip-hop; o mesmo é válido para ópera.

O essencial da curiosidade não é persuadi-lo a ter a mesma opinião de todo mundo sobre Andy Warhol. É dar um enqua-

★ Bom gosto e o poder da anticuriosidade ★

dramento para a compreensão da obra dele. Você ainda tem sua própria reação — você pode dizer: entendo a importância de Andy Warhol, mas não gosto muito da arte dele. Não faz o meu gosto.

E o essencial da curiosidade não é transformar algo divertido — como música — em uma chatice. Todos nós conhecemos gente totalmente ligada em música contemporânea. Gente que conhece tudo que é banda nova e conhece cada estilo novo, sabe quem produz quem, sabe quem influencia quem. Aficionados de música assim fazem listas de repertório ótimas. Fazem isso justamente porque amam música. Sua curiosidade flui tão naturalmente que é uma paixão.

Gosto é opinião, emoldurado pelo contexto do que você está julgando. E gosto lhe dá confiança em seu julgamento. Gosto lhe dá a confiança de que você entende mais do que simplesmente gosta — você sabe o que é bom e o que não é. É o gosto que ajuda no julgamento para avaliar algo novo. Ajuda a ter condições de perguntar e responder a pergunta: "Será que essa é uma boa ideia?".

Para mim, as dezenas de conversas de curiosidade que tive são a fundação para desenvolver uma noção de gosto em música, arte, arquitetura e cultura popular em geral. Elas me proporcionam um filtro informado para avaliar o que surge no caminho — sejam ideias de filme, ou uma conversa sobre a evolução da física de partículas, ou música eletrônica. Não acho que me proporcionem um filtro "melhor" — meu gosto é próprio. Mas definitivamente me proporcionam um filtro mais informado. Sempre converso com gente com experiência profunda — e gosto profundamente culto — sobre coisas que me interessam. Essa curiosidade me dá confiança em meus próprios julgamentos.

Existe uma pequena ressalva quanto ao uso da curiosidade no desenvolvimento do bom gosto. Nem todos têm uma noção de gosto em arte, música ou comida impulsionada por sua própria curiosidade e energia. Se você cresce com pais que se interessam por ópera, que enchem a casa de música clássica ou arte moderna, poesia, ou culinária requintada, pode muito bem chegar à vida adulta com um senso de gosto muito bem desenvolvido nessas coisas. Especialmente quando criança, você pode desenvolver gosto baseado na imersão. De fato, essa pode ser a melhor maneira de desenvolver uma noção de gosto, mas não é uma oportunidade que a maioria de nós tenha. E com certeza não é uma oportunidade que possamos escolher.

• • •

A curiosidade nos supre de habilidades para a exploração de coração aberto e mente aberta. Essa é a qualidade das minhas conversas de curiosidade.

A curiosidade também nos dota de habilidades para enfocar a resposta para uma pergunta. Essa é a qualidade de um detetive de polícia decidido a solucionar um assassinato. É a qualidade de um médico determinado a descobrir qual doença está causando o conjunto de sintomas e os resultados de exames estranhamente contraditórios de um paciente.

E a curiosidade confere habilidades para nos relacionarmos, gerenciarmos e trabalharmos melhor com as pessoas em ambientes profissionais. Essa é a qualidade das perguntas que faço no escritório. Não mantenho exatamente uma conversa em aberto com Anna Culp ou outros de nossos executivos sobre a situação dos filmes em produção, mas também não estou buscando respostas específicas com o zelo incansável de um detetive de polícia. Essas conversas

★ Bom gosto e o poder da anticuriosidade ★

são de uma espécie de curiosidade explicativa — aberta para ouvir o que está acontecendo, mas fazendo perguntas com um propósito específico em mente.

Acho que o desenvolvimento da noção de gosto sobre algo — ou, mais amplamente, um senso de juízo — enquadra-se nesta terceira qualidade de curiosidade. Diz respeito a ser curioso, mas com um propósito ou objetivo em mente. Não pergunto sobre o progresso de nossos filmes por um interesse fútil em como as coisas estão indo. Estou fazendo minha parte para tocar as coisas adiante, tendo por meta fazer os filmes, fazer bem, fazer dentro do orçamento, fazer no prazo. Faço isso ao mesmo tempo que me submeto ao julgamento e autonomia de minha colega, mas ambos sabemos que, embora eu esteja fazendo perguntas, estou usando-as para a prestação de contas dela e do filme em si.

O gosto funciona da mesma maneira. Você pega sua experiência, seu julgamento e suas preferências e os aplica com franqueza, mas também com algum ceticismo a tudo que surge — ideias, músicas, refeições, uma atuação. Você usa o gosto e uma curiosidade cética para perguntar: o quanto é boa essa coisa que estão me pedindo para considerar? O quanto é agradável? Onde se encaixa no que já conheço?

Seu bom gosto pode descobrir coisas eletrizantes. Pode salvá-lo da mediocridade. Mas é cético. Usar o julgamento sempre envolve arquear a sobrancelha, significa começar com um ponto de interrogação: o quanto é boa essa coisa — o quanto é interessante, original, de alta qualidade —, dado tudo o mais que conheço?

Existe mais uma qualidade da curiosidade que ainda não mencionamos e que é a qualidade da curiosidade a que o astrônomo e escritor Carl Sagan refere-se na citação de abertura deste capítulo:

o valor da curiosidade na gestão de nossa vida pública, de nossa democracia.

Democracia requer responsabilidade. De fato, responsabilidade é o cerne da democracia — entender o que precisa ser feito na comunidade, discutir o assunto, ponderar as opções, tomar decisões, avaliar se essas decisões estavam certas e responsabilizar as pessoas que tomaram as decisões.

Por isso temos uma imprensa livre — para fazer perguntas. Por isso temos eleições — para perguntar se queremos manter as pessoas que detêm cargos públicos. Por isso os procedimentos da Câmara, do Senado e dos tribunais são abertos a todos, assim como as reuniões de todas as câmaras de vereadores, comissões municipais e conselhos escolares da nação. Na verdade, por isso temos três ramos de governo nos Estados Unidos — para criar um sistema de prestação de contas entre o Congresso, a Presidência e os tribunais.

Em uma sociedade complicada como a nossa, muitas vezes terceirizamos a responsabilidade. Deixamos a imprensa fazer as perguntas (e aí criticamos a imprensa por não fazer as perguntas certas). Deixamos o Congresso fazer as perguntas (e aí criticamos o Congresso por ser tímido demais ou destrutivo demais). Deixamos os ativistas fazerem as perguntas (e aí os criticamos por serem demasiadamente partidários).

Em última análise, a responsabilidade tem de vir dos cidadãos. Precisamos ser curiosos sobre como o nosso governo está funcionando — seja a escola de ensino médio local ou o sistema de saúde dos veteranos, a Estação Espacial Internacional da NASA ou as finanças da Previdência Social. O que o governo deveria estar fazendo? Está fazendo? Se não está, por que não? Quem, em particular, é o responsável — e temos como fazê-lo fazer o que queremos, ou deveríamos demiti-lo?

★ *Bom gosto e o poder da anticuriosidade* ★

A forma como o governo norte-americano está projetado pressupõe nossa curiosidade. O governo não tem o ceticismo embutido em si — isso tem que vir de nós —, mas tem embutido a *oportunidade* para o ceticismo.

A curiosidade é tão poderosa na esfera pública quanto, por exemplo, no trabalho. O próprio ato de aparecer e fazer perguntas em uma audiência do governo local é um vívido lembrete de que o governo nos presta contas e não o contrário. As perguntas transmitem tanto autoridade quanto uma noção de nossos valores — quer estejamos na tribuna da reunião do conselho escolar, ou levantando a mão em um fórum de candidato, ou assistindo à Câmara dos Deputados na C-Span.

A conexão entre a curiosidade pessoal que estivemos discutindo e essa curiosidade mais pública é muito simples: é o hábito de fazer perguntas, de nos lembrarmos constantemente do valor de fazer perguntas e do nosso direito de fazer perguntas.

De fato, não se trata apenas de que a democracia permita a curiosidade. Sem curiosidade, não existe democracia.

E o oposto também é verdadeiro. A democracia é a estrutura social que concede rédea mais livre à nossa curiosidade em todas as outras arenas.

*Curiosidade não é
apenas uma forma
de compreender
o mundo.
É uma maneira
de mudá-lo.*

CAPÍTULO SETE

A ERA DE OURO DA CURIOSIDADE

"Talvez um dia os homens não mais se interessem pelo desconhecido, nem fiquem tantalizados pelo mistério. É possível, mas, quando o homem perder a curiosidade, a sensação é de que ele terá perdido a maioria das outras coisas que o fazem humano."
— Arthur C. Clarke[57]

Estávamos andando de carro certa tarde com as janelas abertas. Era 1959 — eu tinha oito anos de idade. Paramos no semáforo, e de repente veio uma abelha zumbindo, entrando e saindo pelas janelas. Aquilo me deixou nervoso. Eu não queria ser picado pela abelha.

Eu mal podia esperar pela mudança do semáforo, para o carro andar de novo. Mas de repente me ocorreu uma pergunta: quem anda mais rápido, o carro ou a abelha? Talvez a abelha conseguisse nos acompanhar, mesmo depois de minha mãe se afastar do cruzamento.

Despistamos a abelha naquela tarde, mas a questão seguiu

comigo. Quem anda mais rápido, uma abelha ou um carro? Tentei resolver o enigma, mas não cheguei a uma resposta satisfatória. Como um menino de oito anos em 1959, não havia nada que eu pudesse *__fazer__* com essa questão a não ser perguntar para um adulto. Assim, fiz o que eu fazia frequentemente com minhas perguntas: perguntei para minha avó. Minha avó era meio que meu Google pessoal — não tão onisciente como a internet parece ser, mas muito mais compreensiva e encorajadora.

Ela gostava das minhas perguntas, mesmo quando não sabia as respostas.[58]

Pelo que consigo lembrar, sou curioso desde sempre. Considerava-me curioso antes de pensar em mim como sendo qualquer outra coisa. É meu primeiro traço de personalidade. Cinquenta anos mais tarde, considero-me curioso do mesmo modo que algumas pessoas consideram-se inteligentes, engraçadas ou gregárias.

Para mim, ser curioso define não só minha personalidade, não só o que penso de mim mesmo, como tem sido a chave para meu sucesso e minha sobrevivência. Foi como sobrevivi a meus problemas de leitura. Foi como sobrevivi a uma carreira acadêmica acidentada. Foi como acabei na indústria do cinema, foi como descobri a indústria do cinema. E acho que a curiosidade é a qualidade que ajuda a me distinguir em Hollywood.

Eu faço perguntas.

Perguntas deflagram ideias interessantes. Perguntas constroem relações de colaboração. Perguntas criam todos os tipos de conexões — conexões entre tópicos improváveis, entre colaboradores improváveis. E as ideias interessantes, as relações de colaboração e a rede de conexões trabalham juntas para construir confiança.

★ A era de ouro da curiosidade ★

Curiosidade não é apenas uma qualidade da minha personalidade — é o cerne de como abordo a existência. Acho que tem sido o diferencial. Acho que é um dos motivos pelos quais as pessoas gostam de trabalhar comigo em um negócio onde há montes de produtores para se escolher.

A curiosidade deu-me o sonho. De modo bastante literal, ajudou a criar a vida que imaginei quando tinha 23 anos. Na verdade, ajudou a criar uma vida muito mais aventurosa, interessante e bem-sucedida do que eu poderia ter esperado aos 23 anos de idade.

Para mim, escrever esse livro significou pensar sobre a curiosidade de maneiras que nunca havia pensado e revelou todos os tipos de qualidades da curiosidade que nunca haviam me ocorrido antes. Na verdade, tentei tornar a curiosidade uma personagem do livro, pois a curiosidade está disponível para qualquer um. Minhas histórias pretendem inspirá-lo e entretê-lo — são a minha experiência de curiosidade. Mas todos usam a curiosidade para perseguir as coisas mais importantes para si.

É dessa forma maravilhosa que a curiosidade difere da inteligência ou da criatividade, ou mesmo da liderança. Algumas pessoas são realmente inteligentes. Algumas pessoas são realmente criativas. Algumas pessoas têm qualidades de liderança galvanizantes. Mas nem todas.

Todavia, você pode ser tão curioso quanto quiser, e não importa quando comece. E sua curiosidade pode ajudá-lo a ser mais inteligente e mais criativo, pode ajudá-lo a ser mais eficiente e também lhe ajudar a ser uma pessoa melhor.

• • •

Uma das coisas que amo na curiosidade é que se trata de um instinto com muitas dualidades. Curiosidade tem uma qualidade muito *yin* e *yang*. Vale a pena prestar atenção a essas dualidades, pois ajudam a ver a curiosidade com mais clareza.

Por exemplo, você pode deixar sua curiosidade à solta, ou ela pode libertar você. Quer dizer, você pode decidir que precisa ser curioso a respeito de alguma coisa. Mas, uma vez que você comece, sua curiosidade irá puxá-lo adiante.

Quanto mais você limita a curiosidade das pessoas — quanto mais provoca sobre algo que está para acontecer, mas não conta o que é —, mais você aumenta a curiosidade delas. Quem matou J.R.? Quem ganhou a loteria Mega Millions?

Da mesma forma, você pode ficar intensamente curioso sobre uma coisa relativamente insignificante e, no momento que sabe a resposta, a curiosidade é satisfeita. Uma vez que você saiba quem ganhou na loteria, o instinto de curiosidade a respeito esvazia-se por completo.

Você pode ficar curioso sobre alguma coisa muito específica — se é a abelha ou o carro que se move mais rápido, por exemplo —, curioso sobre algo para o qual pode obter uma resposta definitiva. Algo que pode ou não abrir novas perguntas para você (como as abelhas conseguem voar a 32 quilômetros por hora?). Mas você também pode ficar curioso a respeito de coisas para as quais talvez nunca saiba a resposta — médicos, psicólogos, físicos, cosmologistas pesquisam áreas onde aprendemos mais e mais e ainda assim talvez jamais tenhamos respostas definitivas. Esse tipo de curiosidade pode movê-lo por toda a vida.

Curiosidade requer certa dose de bravura — a coragem de revelar que não se sabe uma coisa, a coragem de fazer uma pergunta a alguém. Mas curiosidade também pode dar coragem. Requer confiança — só um pouquinho —, mas compensa por aumentar a confiança.

★ A era de ouro da curiosidade ★

Nada como uma boa narrativa para desencadear a curiosidade em uma plateia. Por sua vez, nada inspira as narrativas como os resultados da curiosidade.

A curiosidade pode facilmente se tornar um hábito — quanto mais você usar, mais naturalmente ela surgirá. Mas você também pode usar a curiosidade de modo ativo — você sempre pode ignorar seu ritmo natural de fazer perguntas e dizer a si mesmo: isto é algo que preciso investigar. É algo (ou alguém) sobre o qual preciso saber mais.

Curiosidade parece um processo "desconstrutivo". Isso é quase óbvio — fazendo perguntas sobre as coisas, você as desmonta, tenta entender como funcionam, seja o motor do seu Toyota Prius ou a personalidade do seu chefe. Mas na verdade a curiosidade não é desconstrutiva. É sintética. Quando a curiosidade realmente captura você, ela encaixa as peças do mundo. Você pode ter que aprender sobre as partes, mas, feito isto, você tem a imagem de algo que nunca entendeu antes.

A curiosidade é uma ferramenta de envolvimento com outras pessoas. Mas é também o caminho para a independência — independência de pensamento. A curiosidade ajuda a criar a colaboração, mas também ajuda a dar autonomia.

A curiosidade é maravilhosamente revigorante. Você não pode esgotá-la. Na verdade, quanto mais curioso você é hoje — sobre algo específico ou em geral — mais provável é que seja curioso no futuro. Com uma exceção: a curiosidade ainda não inspirou muita curiosidade sobre ela mesma. Somos curiosos sobre todos os tipos de coisas, exceto o conceito de curiosidade.

E, finalmente, vivemos em uma época que deveria ser "a era de ouro da curiosidade". Como indivíduos, temos acesso a mais informações com mais rapidez do que jamais se teve. Alguns setores tiram vantagem disso a pleno — empresas do Vale do Silício são um exemplo vívido e instrutivo. A energia e criatividade dos empresários provêm de fazer perguntas — perguntas como "O que vem a seguir?" e "Por que não podemos fazer isso *assim*?".

Todavia, a curiosidade permanece tremendamente subvalorizada hoje em dia. Nos ambientes estruturados onde poderíamos estar ensinando às pessoas como aproveitar o poder da curiosidade — escolas, universidades, locais de trabalho — com frequência ela não é incentivada. Na melhor das hipóteses, fica-se na retórica. Em muitos desses ambientes, a curiosidade nem sequer é um tópico.

Porém, como cada um de nós pode começar a usar a própria curiosidade no momento em que decide fazê-lo, podemos ajudar a criar a era de ouro da curiosidade na cultura mais ampla. Podemos fazê-lo de maneira simples, respondendo cada pergunta que nossos filhos fazem e ajudando-os a encontrar as respostas quando não sabemos. Podemos fazê-lo no trabalho, em toda uma gama de pequenas, mas inestimáveis formas ao nosso alcance: fazendo perguntas, tratando as perguntas de nossos colegas com respeito e seriedade, acolhendo perguntas de nossos clientes e consumidores, vendo essas perguntas como oportunidades, não como interrupções. O ponto não é começar a fazer um monte de perguntas, ra-ta-tá, como um promotor de justiça. O ponto é mudar gradativamente a cultura — de sua família, de seu local de trabalho —, de modo a tornar seguro ser curioso. Assim podemos desencadear um florescimento da curiosidade e de todos os benefícios que vêm com ela.

★ A era de ouro da curiosidade ★

• • •

Robert Hooke foi um brilhante cientista inglês do século XVII que ajudou a inaugurar a era da investigação científica — afastando a sociedade das explicações religiosas sobre o funcionamento do mundo e direcionando-a para uma compreensão científica.

Hooke era contemporâneo e rival feroz de Isaac Newton; alguns comparam a gama de interesses e habilidades de Hooke às de Leonardo da Vinci. Hooke contribuiu com descobertas, avanços e *insights* duradouros na física, arquitetura, astronomia, paleontologia e biologia. Viveu de 1635 a 1703; embora tenha morrido há trezentos anos, contribuiu para a engenharia de relógios, microscópios e carros modernos. Hooke, olhando uma lasca delgada da casca de uma corticeira, foi o primeiro a usar a palavra "célula" para descrever a unidade básica da biologia que ele viu no visor.[59]

Este âmbito de conhecimentos é impressionante hoje em dia, quando tanta gente, até mesmo os cientistas, é tão especializada. Os tipos de descoberta e *insights* de alguém como Hooke são eletrizantes. Mas o realmente humilhante é que cientistas como Hooke não só revolucionaram a forma como percebemos o mundo — desde o movimento dos planetas à biologia do nosso corpo — como tiveram que *ser* revolucionários. Combateram o desprezo, a zombaria e dois mil anos de uma estrutura de poder que não só definia limites estritos em que cada membro da sociedade poderia operar, como também o que convinha perguntar.

Como a estudiosa da curiosidade Barbara Benedict explicou quando conversei com ela: "Uma das coisas que tornou os cientistas dos séculos XVII e XVIII realmente extraordinários é que fizeram perguntas que não haviam sido perguntadas antes".

Hooke, ressaltou ela, "olhou sua própria urina sob o microscópio. Isso foi extremamente transgressor. Ninguém jamais havia pensado em examinar a urina como objeto de análise científica".

Benedict é estudiosa literária — é professora Charles A. Dana de literatura inglesa no Trinity College em Connecticut — e foi tomada de curiosidade ao deparar continuamente com a palavra e a ideia enquanto estudava a literatura do século XVIII. "Deparava com a palavra 'curioso' com tanta frequência em todos os textos que fiquei um pouco irritada", contou Benedict. "O que significa chamar alguém de 'o leitor curioso'? Isso é um elogio ou não?"

Benedict ficou tão intrigada com as atitudes a respeito da curiosidade com que se deparava que escreveu uma história cultural da curiosidade nos séculos XVII e XVIII intitulada simplesmente *Curiosity* (Curiosidade).

Na verdade, diz Benedict, antes do Renascimento, o poder oficial, o tipo de poder que reis e rainhas possuíam, juntamente com a organização da sociedade e os limites do que se podia perguntar eram tudo a mesma coisa. Estavam entrelaçados.

Gente poderosa controlava as informações, bem como os exércitos. Governantes controlavam a história.

Nesse cenário, curiosidade era pecado. Era uma transgressão. Era "um impulso fora da lei", como Benedict descreveu em seu livro.[60] Curiosidade, inclusive curiosidade científica, era um desafio à estrutura de poder da sociedade — a começar pelo próprio monarca. Era um desafio a dois milênios de "sabedoria" — "Sou o rei porque Deus disse que eu deveria ser o rei. Você é um servo porque Deus disse que você deveria ser um servo" — que culminou na revolução norte-americana.

Curiosidade — fazer perguntas — não é apenas uma forma

★ A era de ouro da curiosidade ★

de compreender o mundo. É uma maneira de mudá-lo. As pessoas no comando sempre souberam disso, retrocedendo até o Antigo Testamento e os mitos da Grécia e de Roma.

Ainda hoje, em alguns lugares, a curiosidade é considerada quase tão perigosa quanto em 1649. O governo chinês censura toda a internet de uma nação de 1,4 bilhão de pessoas, das quais quase metade está *on-line*.[61]

E a curiosidade mantém uma pequena aura de desafio e impertinência por toda parte.

Considere o que acontece quando você faz uma pergunta.

Podem responder: "Boa pergunta".

Ou podem responder: "Que pergunta curiosa".

Com frequência, a pessoa que diz "boa pergunta" tem a resposta pronta — é uma boa pergunta em parte porque a pessoa sabe a resposta. Ela também pode pensar de verdade que você fez uma boa pergunta — uma pergunta que provocou um pensamento inovador da parte dela.

A pessoa que diz "que pergunta curiosa", por outro lado, sente-se desafiada. Ou não tem uma resposta pronta, ou sente que a questão em si é, de alguma forma, um desafio à sua autoridade.

Então por que a internet não fez mais para o início de uma era dourada e mais ampla de curiosidade?

Acho que as perguntas que fazemos ao digitar em um mecanismo de busca da internet são um tipo de curiosidade. Você pode pesquisar a pergunta: "O que é mais rápido, uma abelha ou um carro?", e encontrar algumas discussões úteis.

Mas, como diz Barbara Benedict, a internet corre o risco de ser transformada em uma versão mais abrangente do papa. É simplesmente uma versão tamanho grande da "máquina com todas as respostas".

★ Uma Mente Curiosa ★

Sim, às vezes você simplesmente precisa saber o PIB da Ucrânia ou a quantas onças equivale um quartilho. Sempre tivemos ótimos livros de referência para coisas desse tipo — o *World Almanac* (Almanaque mundial) costumava ser uma fonte definitiva.

Esses são fatos.

Mas cá está a pergunta realmente importante: ter todo o conhecimento humano disponível na palma da mão nos deixa mais curiosos ou menos curiosos?

Quando você lê sobre a velocidade do voo das abelhas, isso lhe inspira a aprender mais sobre a aerodinâmica de abelhas ou faz o oposto, lhe satisfaz o suficiente para você voltar ao Instagram?

Foi Karl Marx que chamou a religião de "o ópio do povo".[62] Ele quis dizer que a religião foi projetada para fornecer respostas suficientes para que as pessoas parassem de fazer ***perguntas.***

Precisamos ter cuidado, como indivíduos, para que a internet não nos anestesie em vez de nos inspirar.

Há duas coisas que você não pode encontrar na internet — assim como havia duas coisas que Robert Hooke não conseguiu encontrar na Bíblia ou nos decretos do rei Charles I:

Você não pode procurar respostas para perguntas que ainda não foram feitas.

E você não pode achar uma nova ideia no Google.

A internet só pode nos dizer o que já sabemos.

• • •

No decorrer de uma reunião de negócios, as pessoas da indústria do cinema muitas vezes dizem: "Isso está de bom tamanho".

Dizem: "Esse *script* está de bom tamanho". "Esse ator está de bom tamanho". "Esse diretor está de bom tamanho".

Quando alguém diz "está de bom tamanho", nunca está.

Significa exatamente o oposto. Significa que a pessoa ou *script não é* bom o bastante.

Tenho certeza de que o mesmo acontece em tudo que é área de trabalho.

Expressão bem estranha essa, que significa exatamente o oposto das palavras em si. É uma maneira de dizer: vamos nos contentar por aqui. Mediocridade vai servir muito bem.

Eu não estou interessado no "de bom tamanho".

Acho que parte de minha reserva de determinação vem de todas essas décadas de conversas de curiosidade com gente que não se contenta com o "de bom tamanho". Suas experiências e realizações são um lembrete de que não se pode viver só de curiosidade. Para ter uma vida satisfatória (e fazer bom uso da curiosidade), você também tem que ter disciplina e determinação. Tem que aplicar sua imaginação ao que aprendeu. Mais importante: tem que tratar as pessoas ao seu redor com respeito e bondade, e a curiosidade pode ajudar a fazer isso.

Para mim, o tipo mais valioso de curiosidade é aquele em que não existe uma pergunta específica para a qual estou tentando obter a resposta. O tipo mais valioso de curiosidade é a pergunta verdadeiramente franca — seja para um ganhador do Prêmio Nobel ou para a pessoa sentada ao seu lado em um casamento.

Com o tempo, vim a perceber que você arquiva a curiosidade — quer dizer, arquiva os resultados de sua curiosidade, guarda os *insights* e a energia que ela proporciona.

Existem duas maneiras de pensar sobre o tipo de curiosidade em aberto que tenho buscado com tanta determinação desde os meus vinte anos. Essas conversas são como um fundo mútuo — um investimento de longo prazo em dezenas de pessoas de diferentes personalidades, especialidades, temas. Algumas são interessantes no momento em que conversamos, mas não depois. Algumas não são interessantes sequer enquanto conversamos. E algumas vão compensar enormemente a longo prazo — porque a conversa vai estimular um interesse amplo e uma exploração mais profunda de minha parte ou porque a conversa vai ficar guardada e uma década mais tarde vai aparecer uma ideia, ou uma oportunidade, ou um *script* que vou entender completamente por causa da conversa que tive anos antes.

Contudo, assim como no mercado de ações, você não sabe de antemão quais conversas vão render e quais não vão. Então você simplesmente continua a fazê-las — investe um pouco de esforço ao longo de um amplo espectro de tempo, espaço e pessoas, confiante de que é a coisa certa a fazer.

Também penso nas conversas como um artista. Artistas estão sempre em busca de ideias, de pontos de vista, de artefatos que possam ser úteis. Um artista caminhando pela praia pode encontrar um pedaço de madeira dramático, erodido de forma interessante. A madeira não se encaixa em nenhum projeto em que o artista esteja trabalhando de momento, ela é atraente por conta própria. O artista inteligente leva o pedaço de madeira para casa, coloca-o em uma prateleira e, dali a um mês ou uma década, dá uma olhada, repara no pedaço de madeira outra vez — e o transforma em arte.

Não tenho a menor ideia de onde vêm as boas ideias, mas sei o seguinte:

Quanto mais conheço do mundo — quanto mais entendo como o mundo funciona, quanto mais gente conheço, quanto mais perspectivas tenho —, mais provável é que eu vá ter uma boa ideia.

Mais provável é que eu entenda uma boa ideia ao ouvi-la. Menos provável é que eu concorde com algo "de bom tamanho".

Quando você sabe mais, consegue fazer mais.

Curiosidade é um estado de espírito. Mais especificamente, é o estado de ter uma mente aberta. Curiosidade é um tipo de receptividade.

E o melhor de tudo: não existe nenhum truque para a curiosidade.

Você só tem que fazer uma boa pergunta por dia e ouvir a resposta.

Curiosidade é uma maneira mais empolgante de viver no mundo. É, verdadeiramente, o segredo para uma vida maior.

CONVERSAS DE CURIOSIDADE DE BRIAN GRAZER: UMA AMOSTRA

Como parte do trabalho de escrever *Uma mente curiosa*, fiz algo que nunca havia feito: reuni em um lugar uma lista tão abrangente quanto possível das pessoas com quem mantive conversas de curiosidade ao longo dos últimos trinta anos. (Na realidade, alguns funcionários da Imagine fizeram a maior parte do trabalho de criação da lista — e sou incrivelmente grato por isso).

Para mim, repassar a lista de pessoas com quem tive oportunidade de conversar é como virar as páginas de um álbum de fotos. Da mesma forma que às vezes acontece com uma foto, um nome pode desencadear uma onda de recordações: onde eu estava quando me encontrei com aquela pessoa, sobre o que conversamos, o que ela vestia, até mesmo a postura, atitude ou expressão facial da pessoa.

Ao repassar a lista vezes e mais vezes enquanto trabalhávamos no livro, fui acometido por duas coisas. Primeiro, um incrível senso de gratidão por tanta gente ter concordado em sentar para conversar comigo, em me proporcionar uma noção de seu mundo, quando não havia nada de tangível a ganhar com isso. Passados todos esses anos, gostaria de poder ligar para cada uma dessas pessoas e dizer obrigado outra vez pelo que acrescentaram à minha vida. Cada pessoa foi uma aventura — mesmo que estivéssemos apenas sentados nos sofás do meu escritório —, uma jornada muito além dos limites e rotinas de minha própria vida. A amplitude de experiências, personalidades e realizações dessa lista é inspiradora.

Segundo, embora *Uma mente curiosa* seja preenchido com as histórias dessas conversas, houve tantas mais que não incluímos que pareceu que seria divertido oferecer uma seleção mais ampla. O que se segue é uma amostra — um bônus, como poderíamos chamar aqui em Hollywood — de algumas das conversas de curiosidade que guardo comigo.

ALMOÇO COM FIDEL

O Hotel Nacional de Havana situa-se em um *boulevard* à beira-mar, o Malecón, e possui duas dúzias de quartos com nomes em homenagem a pessoas famosas que neles se hospedaram — Fred Astaire (quarto 228), Stan Musial (245), Jean-Paul Sartre (539) e Walt Disney (445) são exemplos.

Quando v*isite*i Havana, em fevereiro de 2001, fui colocado na suíte Lucky Luciano (211), um par de cômodos com o nome do célebre mafioso que na verdade são grandes demais para uma só pessoa.

Viajei com um grupo de amigos — decidimos que queríamos fazer uma viagem de camaradas uma vez por ano e começamos por Cuba. (Conto um pouquinho da história na página 138.) A viagem a Cuba foi organizada por Tom Freston, CEO da MTV na época, e o grupo incluía Brad Grey, produtor; Jim Wiatt, chefe da

★ *Conversas de curiosidade de Brian Grazer: uma amostra* ★

agência de talentos William Morris; Bill Roedy, ex-chefe da MTV International; Graydon Carter, editor da *Vanity Fair*; e Leslie Moonves, CEO da CBS, inclusive da divisão CBS News.

Isso foi muito antes do degelo das relações entre Estados Unidos e Cuba, claro, e uma visita a Cuba naquele tempo era um desafio — você nunca sabia bem aonde iria ou com quem se encontraria.

Antes de irmos para Cuba, investi um bocado de esforço tentando marcar discretamente uma conversa de curiosidade com Fidel Castro sem realizar qualquer progresso.

Voamos até uma base militar cubana — e descobriu-se que vários de nós haviam tentado marcar um encontro com Fidel separadamente. Deixamos claro para o pessoal que cuidava de nós que apreciaríamos um encontro com Fidel.

Durante nossa visita, aprendemos que os cubanos evitam referir-se a Fidel pelo nome. Usam um gesto em vez de dizer o nome dele — tocam o queixo com os dedos polegar e indicador, como se estivessem alisando uma barba.

Houve alguns alarmes falsos. Certa vez estávamos saindo de um clube de Havana às duas e meia da manhã, e um assessor veio dizer que Fidel nos veria às quatro da manhã. Estávamos exaustos. Olhamos uns para os outros e dissemos: "Certo! Vamos nessa!".

Mal dissemos sim, e veio a informação de que o encontro não aconteceria.

Na véspera de partirmos, fomos informados de que Fidel nos receberia para um almoço em grupo no dia seguinte, a partir do meio-dia. Estávamos programados para ir embora naquele horário, então tivemos que adiar a partida.

213

Na manhã seguinte, estávamos a postos. Informaram o destino. Amontoamo-nos nos carros e partimos em alta velocidade. Aí, de repente, os carros deram uma guinada para o acostamento, fizeram meia-volta e aceleraram exatamente na direção oposta, rumo a um destino diferente.

Era para fazer mistério? Teatro? Era planejado para proporcionar segurança real a Fidel? Vai saber.

Tão logo chegamos ao novo destino, fomos apresentados a Fidel, que estava vestido com o tradicional uniforme militar. Deram-nos drinques com rum e ficamos por lá conversando.

Eu estava com Les Moonves conversando com Fidel. Les era indiscutivelmente a pessoa mais importante de nosso grupo e, depois do próprio William Paley (o fundador da CBS), era indiscutivelmente o executivo de radiodifusão mais bem-sucedido de todos os tempos. Fidel evidentemente sabia quem Les era e o tratou como se fosse o "líder" do nosso grupo, dirigindo boa parte de sua atenção a Moonves. Fidel falava com tamanha energia que tinha dois tradutores que se revezavam.

Fidel também segurava um drinque, mas, ao longo de uma hora parado em pé por lá, não vi seus lábios tocarem o copo nenhuma vez. Também não o vi cansar-se em nenhum momento, nem de ficar em pé, nem de segurar o drinque. Depois de mais de uma hora, sussurrei para Les: "Você acha que algum dia entraremos para o almoço?".

Les disse em voz alta e em parte para Fidel: "Talvez pudéssemos entrar para almoçar!".

Como se tivesse esquecido completamente da refeição, Fidel concordou no mesmo instante e nos conduziu para o almoço. A refeição consistiu de duas partes: uma longa sequência de pratos

★ *Conversas de curiosidade de Brian Grazer: uma amostra* ★

cubanos e Fidel falando sobre as maravilhas de Cuba. Ele não falou conosco, falou para nós.

Ele sabia os detalhes de tudo. O clima de cada região de Cuba. Os quilowatts necessários para acender uma lâmpada em um lar cubano. Ele podia esmiuçar qualquer coisa sobre o país, seu povo, sua economia.

A certa altura, Fidel voltou-se bastante incisivamente para Les e disse: "Quando voltar para seu país e ao presidente Bush, gostaria que lhe falasse meus pensamentos" — e prosseguiu desenrolando uma longa dissertação que queria que Moonves transmitisse ao presidente dos Estados Unidos. Como se Les fosse, natural e imediatamente, reportar-se ao presidente Bush.

Durante horas, literalmente, Fidel não nos fez uma única pergunta, nem nos envolveu na conversa. Ele falou, e nós escutamos.

Finalmente fez uma pausa. Olhou para nós. E então, por intermédio do tradutor, disse para mim: "Como você deixa seu cabelo em pé desse jeito?". Todo mundo riu.

Acho que Fidel é tão focado em simbolismo e iconografia que pode ter ficado curioso a respeito de que tipo de declaração eu estava tentando fazer com meu cabelo. Sentindo-me um pouco inibido, tentei agir de forma sagaz. Disse a Castro: "Faço filmes", e listei os dramas sérios que fizemos — apenas os dramas, nenhuma comédia — e concluí dizendo: "E fiz um filme sobre como governos totalitários torturam seus cidadãos, chamado *Closet Land*".

Claro que foi totalmente irrefletido. Acho que pensei que ele ficaria impressionado. Em vez disso, talvez pensasse: quem sabe detemos o cara do cabelo engraçado por um ano.

Graydon Carter olhou para mim com um semblante que dizia: "Você está louco?".

Então Graydon olhou para Fidel, sorriu e disse: "Ele também fez *O professor aloprado 2 — A família Klump!*".

Foi a evasiva perfeita, mas também apavorante. Proporcionou um instante para eu perceber o que tinha acabado de dizer.

Fidel deixou passar tudo sem sequer pestanejar. No fim das contas, o almoço estendeu-se até as cinco e meia. Os jatos aguardavam para nos levar de volta aos Estados Unidos. Mais uma vez, comentei com Les que talvez estivesse na hora de partir. E mais uma vez Les nos colocou em movimento de forma elegante, dizendo a Fidel que realmente estava na hora de partirmos.

Fidel deu a cada um de nós uma caixa de charutos como presente de despedida. Eu trajava uma linda guayabera cubana que havia comprado, e, na saída, Fidel autografou a camisa em meu corpo, bem no meio das costas.

O HERÓI, A PREVISÃO E O BONÉ PERIGOSO

Naquele dia específico de junho de 2005, a segunda parada da tarde foi em um magnífico gabinete do Capitólio dos Estados Unidos. O espaço era ricamente decorado, com sofisticados painéis de madeira e mobília sólida e elegante. Transmitia não tanto uma sensação de poder, e sim algo muito mais profundo: um senso de autoridade. Era o gabinete do senador John McCain, e eu tinha horário para uma conversa de curiosidade com um dos homens mais interessantes e influentes do Senado dos Estados Unidos.

Aquela tarde de quarta-feira, 8 de junho, estava se encaminhando para ser memorável. Eu havia passado uma hora em um dos gabinetes menos majestosos do Senado antes de chegar ao de McCain, com um dos membros menos influentes do Senado dos Estados Unidos na época: Barack Obama.

★ Conversas de curiosidade de Brian Grazer: uma amostra ★

E, após minha conversa com o senador McCain, tive que me apressar por uns quarteirões da avenida Pensilvânia até a Casa Branca para jantar e assistir um filme com a pessoa mais poderosa do mundo — o presidente George W. Bush.

Obama. McCain. Bush. Um a um, num período de quatro horas. É uma lista de nomes assombrosa para um forasteiro em Washington reunir em uma tarde dentro do Beltway.

Isso aconteceu porque o presidente Bush convidou-nos para a exibição de *A luta pela esperança* na Casa Branca tão logo o filme estreou nos cinemas. Dirigido por Ron Howard, *A luta pela esperança* é inspirado na história real de James J. Braddock, boxeador da era da Depressão, interpretado por Russell Crowe, com Renée Zellweger estrelando como esposa dele e Paul Giamatti como seu empresário.

Pensei que, como eu iria passar dois dias em Washington, seria divertido ver algumas pessoas pelas quais tinha curiosidade.

Para mim, McCain era uma escolha óbvia. Seu apelo é elementar: John McCain é um verdadeiro herói norte-americano. Foi piloto no Vietnã, foi abatido, capturado e torturado, sobreviveu e acabou tornando-se uma figura política importante. Mesmo nos campos de prisioneiros do Vietnã do Norte onde foi mantido, os norte-americanos companheiros de McCain consideravam-no um líder. Em 2005, no Senado e por todo o país, McCain era conhecido pela inteligência, independência e determinação.

A psicologia e o caráter dos heróis me fascinam — quase todo filme que fazemos trata do que significa ser herói de um jeito ou outro.

Mas meu encontro com McCain foi estranhamente anticlimático. Acabamos não conversando sobre coisas substanciosas, mas sobre generalidades — conversamos sobre beisebol, de que entendo muito pouco. Conversamos sobre os idosos.

A presença de McCain era tão impressionante quanto seu gabinete. O senador foi educado comigo, mas no fim tive a sensação de que ele não sabia ao certo o que eu estava fazendo ali. Eu era apenas uma pessoa relativamente famosa em sua agenda por uma hora. Uma coisa ficou clara: John McCain não tinha que se preocupar com o tempo, porque todo mundo ao redor dele estava prestando atenção no tempo.

Em dado momento de nossa conversa, sua principal assessora entrou e disse: "Um minuto, senhor!". E não estou brincando; sessenta segundos depois, a mulher voltou e disse: "Seu tempo acabou!".

O senador McCain levantou-se. Ele já estava de paletó, é claro. Abotoou ao ficar em pé, apertou minha mão e se foi. Logo depois, um dos assistentes apontou para a televisão no gabinete de McCain, e lá estava ele, *marchando* para o recinto do Senado.

• • •

Em contraste com minha conversa anterior, o encontro com Barack Obama não poderia ter sido mais completo. O senador McCain estava no Senado há dezoito anos e em novembro último fora reeleito para o quarto mandato representando o Arizona, com espantosos 77% dos votos. Ele estava no auge de sua influência e subindo.

Barack Obama estava no Senado dos Estados Unidos há cinco meses. Há apenas um ano, ele ainda era senador estadual no Illinois.

Mas na convenção nacional democrata no verão anterior — na convenção que nomeou o senador John Kerry como o democrata

★ *Conversas de curiosidade de Brian Grazer: uma amostra* ★

a desafiar George W, Bush —, Barack Obama atraiu pela primeira vez a atenção nacional, bem como a minha. Foi quando Obama fez um discurso de tom estimulante, com frases otimistas como: "Não existe uma América liberal e uma América conservadora. Existem os Estados Unidos da América".

No dia em que o encontrei pela primeira vez, ele era o único senador negro dos Estados Unidos. Também estava lá embaixo na lista de senioridade — lá pelos noventa. Seu gabinete era o de número 99 — o segundo menos desejável. Para chegar ao gabinete de Obama, caminhamos um longo trecho, pegamos o trenzinho do Capitólio, aí caminhamos mais um longo trecho.

Quando cheguei ao gabinete dele, fiquei impressionado com a quantidade de gente indo e vindo. Ficava no porão, a luz não era boa. Era como uma combinação de mercado de pulgas de sábado e departamento de trânsito. O gabinete de Obama era totalmente aberto, as pessoas simplesmente iam e vinham, aproveitando a chance de visitar seu senador.

Havia um monte de gente fascinante que eu gostaria de ter conhecido naquela tarde no Senado, um monte de gente importante em Washington. Por que solicitei o agendamento de um horário com Obama, que não era sequer um senador de peso, que dirá uma força no cenário nacional?

Quando vi Obama falar na televisão, fiquei cativado e intrigado, como todo mundo que o assistiu. Para mim, as habilidades de comunicação dele estavam em outra categoria. Suas habilidades de comunicação eram como as habilidades de Muhammad Ali no boxe. Parecia que ele estava realizando uma mágica, uma mágica retórica.

Sou do ramo da comunicação. Meu trabalho é transformar palavras em imagens e fazer com que essas imagens ativem emoções na plateia, emoções mais fortes que as palavras originais.

Quando vi Obama falar, do mesmo modo que alguém poderia ver Ali lutar, ele estava fazendo algo além do que qualquer orador que eu já tinha visto. Estava ativando emoções com palavras — da mesma forma que as imagens fazem.

O gabinete de Obama era muito humilde, mas ele era muito acolhedor — e estava totalmente presente. Nada daquela distração que se verifica com gente importante e ocupada que está com você, mas confere o relógio e o *e-mail* constantemente, a cabeça em quatro outros lugares ao mesmo tempo. Ele era alto e rijo, sentamos em sofás diagonais — ele me cumprimentou, a seguir acomodou-se no sofá com fluidez acrobática, como um atleta. Parecia completamente à vontade, totalmente confortável consigo mesmo.

Conversamos sobre nossas famílias, conversamos sobre trabalho — foi uma conversa muito mais pessoal do que política. Enquanto conversávamos, uma rapaziada cheia de energia — a equipe dele — entrava e saía constantemente do gabinete, mas ele não se distraía.

Obama transmitia uma verdadeira sensação de confiança. Ele estava no gabinete de número 99, mas era completamente seguro de si. Obama tinha saído há apenas um ano do Senado Estadual do Illinois e estava no Senado há cinco meses; menos de quatro anos depois, seria presidente dos Estados Unidos.

Quando estava de saída do gabinete 99, dei de cara com Jon Favreau, o talentoso escritor que estava trabalhando como redator de discursos de Obama. Eles haviam se conhecido na convenção nacional democrata em que Obama deu o tom.

★ *Conversas de curiosidade de Brian Grazer: uma amostra* ★

"Se um dia você decidir largar a política", falei para Favreau meio que de brincadeira, "e quiser trabalhar em Hollywood, me telefone. Você é fantástico".

"Muito obrigado", disse Favreau sorrindo. "Mas acho que ele vai me querer."

• • •

Não contei ao senador McCain e ao senador Obama que veria os dois. Mas contei a ambos que iria à Casa Branca naquela noite para a exibição de *A luta pela esperança* para o presidente George W. Bush.

Havia me encontrado com o presidente Clinton diversas vezes e estava curioso quanto ao presidente Bush e curioso para ver o estilo dele. A linguagem corporal do presidente Bush naquela noite foi muito diferente. Quando conversava com alguém, não era cara a cara, ou pelo menos não foi quando falou comigo.

O presidente Bush aproximou-se de mim, e fomos apresentados; ele foi muito cordial e muito despretensioso. Então, quando começamos a conversar, ele moveu-se um pouco para o meu lado, passou o braço ao meu redor — é como ele gosta de conversar, como dois camaradas, ombro a ombro. Gostei disso.

Ele fez outra coisa que chamou minha atenção. Antes do filme, quando a comida foi servida, o presidente Bush pegou uma bandeja, colocou sua comida nela e se sentou em uma mesa totalmente sozinho. Ele não parecia precisar de gente ao seu redor. A mesa ficou lotada, claro. Mas achei aquilo deveras impressionante. O presidente ficou durante todo o filme.

A única parte decepcionante daquela noite teve a ver com o presentinho que eu tinha para o presidente Bush. Levei um boné do programa de TV *Friday Night Lights*. O presidente Bush cresceu em Odessa, no Texas, e pensei que ele acharia o maior barato.

Assim, estava eu na fila para passar pela segurança do portão da Casa Branca e tão empolgado com o boné que o mostrei para os agentes de segurança. "O presidente é de Odessa, Texas, e trouxe esse boné de *Friday Night Lights* de presente", eu disse. "Vou dar para ele."

Pensei que faria todo mundo sorrir.

Rapaz, como eu estava errado. Olharam para mim. Olharam para o boné. Tiraram o boné de mim. Passaram-no por umas máquinas. Umas outras pessoas o examinaram por dentro e por fora.

Então alguém sacudiu a cabeça e me disse: "Você não pode entregar esse boné para o presidente. Nós entregaremos ao presidente por você".

Teria sido melhor eu não ter dito nada e simplesmente ter entrado na Casa Branca com o boné na minha cabeça.

Não vi mais o boné. Falei sobre ele para o presidente Bush — e espero que tenham entregado a ele em algum momento.

❧ O CARA DAS LUVAS ❧

No início dos anos 1990, tentei sistematicamente sentar com Michael Jackson. Ligava para o escritório dele algumas vezes por ano e solicitava um encontro, convidava-o para encontrar-se comigo. Ele não estava interessado.

Então, de repente, ele disse sim. Não ficou claro por que, embora tenha sido na época em que fizemos filmes como *O tiro que não saiu pela culatra*, *Um tira no jardim de infância* e *Meu primeiro amor*, com tramas familiares, e eu tivesse ouvido falar que Jackson estava interessado em fazer filmes daquele tipo.

★ Conversas de curiosidade de Brian Grazer: uma amostra ★

Quando chegou o dia, o pessoal de preparação dele chegou ao escritório primeiro. Estava a maior comoção — como você pode imaginar —, e então Jackson apareceu.

Naquele tempo, Jackson já era conhecido por suas atitudes tímidas e ligeiramente incomuns. Mas não teve nada disso. Ele pareceu uma pessoa totalmente normal — embora estivesse usando as luvas, as luvas brancas.

Eu era fã de Michael Jackson, é claro — não tinha como acompanhar a música da América nos anos 1970 e 1980 e não ser fã de Michael Jackson. Mas eu não era um fã enlouquecido — de modo que não estava particularmente nervoso. Eu respeitava Jackson, considerava-o um talento assombroso.

Ele tinha cerca de 1,75 metro de altura — era magro, mas dava para ver que era forte. Entrou em meu escritório e sentou-se.

"Que prazer conhecê-lo", eu disse. "Que maravilha."

Ele estava agindo normalmente, então decidi tratá-lo normalmente. Pensei: vou pedir para ele tirar as luvas. Qualquer pessoa normal tiraria as luvas ao entrar em algum local, certo?

Poderia ter sido o fim da conversa ali mesmo.

Mas não hesitei. Perguntei: "Você se incomodaria em tirar as luvas?".

E ele tirou. Simples assim. Pensei: ele tirou as luvas — vai ser legal.

Michael Jackson nitidamente não era muito chegado em conversa fiada. E, para ser honesto, eu não sabia exatamente sobre o que conversar com ele. Com certeza não queria entediá-lo.

Perguntei: "Como você cria música?".

E na mesma hora ele começou a conversar sobre como criava música — como compunha, como se apresentava, tudo de uma forma quase científica.

Na verdade, todo o comportamento dele transformou-se. Quando começamos a conversar, ele tinha aquela voz aguda, ligeiramente infantil que as pessoas conheciam. Mas, tão logo começou a conversar sobre fazer música, até a voz dele mudou, e ele tornou-se outra pessoa — foi como uma *master class*, como um professor da Julliard falando. Melodia, letras, o que faz o engenheiro de mixagem. Fiquei pasmo.

Conversamos um pouquinho sobre filmes — Jackson já havia feito vídeos incríveis, inclusive o vídeo de *Thriller*, dirigido por John Landis. Foi uma conversa de curiosidade com uma pitada de negócios.

Embora jamais tenha me encontrado com ele outra vez, não houve nada de bizarro ou desconfortável no tempo que passamos juntos. Fiquei com uma impressão muito diferente de Michael Jackson. Tive a sensação de que ele não era um cara tão esquisito, ou um conjunto de afetações esquisitas — ele era apenas alguém que lutava com a fama. O comportamento dele era um tanto ambiental. Fiquei muito impressionado pelo fato de que pude falar com ele como um adulto, e de ele falar comigo como um adulto.

Pude pedir a ele para tirar as luvas, e ele tirou as luvas.

A OPORTUNIDADE PERDIDA

Sob alguns aspectos interessantes, Andy Warhol tinha muita coisa em comum com Michael Jackson. Ambos possuíam uma presença física distintiva, uma presença física que cada um elaborou para si de forma proposital. Ambos produziram uma obra tão impressionante e influente que o simples nome deles evoca todo um estilo, toda uma era. E ambos eram considerados misteriosos, enigmáticos, quase impenetráveis.

★ Conversas de curiosidade de Brian Grazer: uma amostra ★

Fui me encontrar com Andy Warhol no início dos anos 1980, quando estive em Nova York, durante um período em que tive a chance de conhecer um monte de artistas, incluindo David Hockney, Ed Ruscha, Salvador Dalí e Roy Lichtenstein. Na época, Andy Warhol havia se tornado uma instituição — ele fez as famosas serigrafias da lata de sopa Campbell's em 1962. Conheci-o no estúdio dele, The Factory. Ele vestia a clássica blusa preta de gola rulê.

Duas coisas me pareciam interessantes em Andy Warhol. A primeira é que ele não era um artista de técnica brilhante — não possuía as habilidades de, digamos, Roy Lichtenstein, e não tentava obtê-las. Para ele, a mensagem da arte, a declaração, era o mais importante.

A segunda coisa muito impressionante quando o conheci em pessoa foi sua recusa absoluta de intelectualizar sua obra. Ele quase não quis falar a respeito. Ele não foi apenas discreto. Cada pergunta suscitou uma resposta absolutamente simples.

"Por que você fez retratos de Marilyn Monroe?", perguntei.

"Eu gosto dela", disse Warhol.

Estávamos passeando pela Factory, e havia serigrafias por toda parte, tanto finalizadas quanto em progresso.

"Por que você faz sua arte em serigrafia?", perguntei.

"Para que possamos fazer muitas delas", disse ele. Só isso — nenhuma explicação detalhada.

Warhol tinha fama de ser desligado. Naquela visita ao estúdio, ele estava totalmente comigo. Ele era um pouquinho viajandão, naquele estilo anos 1960. "Ei, cara, vamos até ali", ele dizia.

Foi um pouco difícil conversar com ele. Mas era fácil passar o tempo com ele.

Estive de novo em Nova York poucas semanas depois e voltei para uma segunda visita.

Ele contou: "Estou indo a Los Angeles para fazer um episódio de *O barco do amor*". Pensei comigo: do que ele está falando? Andy Warhol no *Barco do amor* — com o capitão Stubing e Julie McCoy? Não conseguia imaginar. Achei que ele estivesse brincando.

"Vou atuar em um episódio do *Barco do amor*", disse Warhol. Não me dei conta de que ele havia feito esse tipo de aparição na cultura pop antes. Ele gostava de surpreender as pessoas. E ele fez: participou do episódio do *Barco do Amor* exibido em 12 de outubro de 1985, junto com Milton Berle e Andy Griffith.

No segundo encontro, Warhol disse: "Não me dei conta de que seu sócio é Ron Howard. Ele é Richie Cunningham!".

Warhol teve uma ideia.

"Eu adoraria tirar uma foto de Ron Howard e fazer pinturas — um antes e depois. Quero fazer uma foto de Ron Howard agora, com seu bigode *handlebar*, depois quero raspar o bigode e fazer outra foto. Duas. Uma com bigode. Outra sem bigode. Antes e depois."

Na mesma hora pensei nos retratos duplos de Elvis feitos por Warhol. Mas não mencionei. Disse a Warhol que falaria com Ron a respeito.

Voltei para LA e disse a Ron: "Andy Warhol quer fazer uma coisa com você. Quer fazer retratos de Ron Howard antes e depois. Quer raspar o seu bigode". Eu estava na maior empolgação.

Ron não se empolgou, ficou mais atônito do que qualquer outra coisa. "Sabe, Brian, eu realmente não estou a fim de raspar meu bigode", disse ele. "Faz parte da minha identidade atual. Estou tentando me livrar da identidade de 'garoto norte-americano'."

★ Conversas de curiosidade de Brian Grazer: uma amostra ★

Certo. Entendi o lance. Mais ou menos. Nem todo mundo era convidado por Andy Warhol para fazer retratos, claro. Mas eu também sabia o quanto a identidade adulta de Ron Howard era importante para ele — o quanto de fato é importante para todos nós.

Então foi o fim de Ron Howard Antes e Depois. Pelo menos foi o que pensei.

Muitos anos depois, nosso filme *Cry-Baby* estreou. O Avco era o cinema onde as filas tinham feito a volta na quadra por causa de *Splash — Uma sereia em minha vida*. Naquela sexta-feira, para assistir *Cry-Baby*, havia sete pessoas em uma sala com quinhentos lugares.

Ron e eu fomos para casa, tomamos umas garrafas de vinho tinto e assistimos *Drugstore Cowboy* para amenizar a decepção. Ron tinha que pegar um voo noturno de Los Angeles para o leste; portanto, por volta das 22 horas, ele rumou para o aeroporto.

Antes de decolar, ele me telefonou. Ele estava um pouco alvoroçado. E disse: "Brian, quero lhe contar, acabo de ir ao banheiro masculino do aeroporto e raspar meu bigode".

E, sem pensar duas vezes, eu disse: "Oh, meu Deus, você poderia ter feito aquele lance de Andy Warhol! Aí teríamos dois retratos de Ron Howard valendo cinquenta milhões cada um".

Hoje em dia, o bigode de Ron — na verdade a barba completa — está de volta, claro. Ron é um ícone sem uma serigrafia de Warhol.

❧ CURIOSIDADE COMO ARTE ❧

Você provavelmente conhece a arte de Jeff Koons. É divertida, é de grande porte. Ele fez enormes esculturas de aço inoxidável no formato daqueles cachorros de balão que os palhaços fazem. Ele reproduziu um brinquedo de coelho inflável com o mesmo aço inoxidável brilhante, e a peça tornou-se tão conhecida que foi reproduzida como um balão gigante no Desfile de Ação de Graças da Macy's.

Para mim, a obra de Koons é exuberante e brincalhona. Também parece simples. Mas por baixo está o farto conhecimento dele sobre história, sobre teoria da arte.

Conheci Jeff Koons há vinte anos, no início dos anos 1990. Assim como no caso de Warhol, fui ao estúdio de Koons em Nova York. Ao entrar no estúdio dele, sabendo do coelho e do cachorro de balão, você pensa: eu poderia fazer isso. Ao sair, depois de passar duas horas com Koons, você pensa: ninguém conseguiria duplicar o que ele está fazendo.

Embora tenha trabalhado em Wall Street como corretor de *commodities* quando jovem, Koons sempre quis ser um artista. Mas ele não é o tipo de artista que veste jeans e faz uma zoeira no estúdio. Ele é mais propenso a se vestir como os grandes diretores dos anos 1940 ou 1950 — como George Cukor ou Cecil B. DeMille. Calças casuais e uma bela camisa, na moda e elegante.

Ele é um estudo em contrastes. Não é ruidoso em palavras. Mas sua arte e suas ações são ruidosas. Em 1991, por exemplo, casou-se pela primeira vez — com a famosa atriz pornô italiana La Cicciolina. Eles fizeram arte juntos — inclusive pinturas nas quais ambos aparecem despidos, ou basicamente despidos.

Koons é um homem modesto, mas disposto a fazer coisas arriscadas, até mesmo chocantes, em nome de sua arte. E, diferentemente de Warhol, Koons fica feliz em falar sobre as fontes de sua arte, bem como sobre princípios intelectuais e perspectivas históricas traduzidas em forma visual.

O estúdio onde ele estava produzindo toda a sua arte dramática quase parecia um laboratório de ciência dispendioso e sofisticado. Era quase antisséptico. Ele parecia o gênio do cálculo, o cientista, pensando e criando.

Fui ao estúdio dele pela segunda vez mais recentemente — ficava em um local diferente e era como se o primeiro estúdio, o laboratório de ciências, tivesse atingido um novo patamar.

Posteriormente, quando começamos a falar sobre a arte para a capa de *Uma mente curiosa*, subitamente lembrei-me de Jeff Koons. <u>**Qual seria**</u> a abordagem dele em relação à curiosidade? Qual seria a abordagem dele para uma capa de livro?

Não perguntei diretamente — informei a um amigo em comum que eu adoraria que Koons fizesse um desenho para o livro. Veio o retorno de que ele com certeza faria.

Um mês depois, no verão de 2014, nos encontramos no Festival de Ideias de Aspen, e eu disse a ele: "Estou tão empolgado por você fazer um trabalho de arte para o livro!".

Ele falou: "Conte-me sobre o livro".

Descrevi os anos de conversas de curiosidade, as pessoas, minha sensação de que não teria vivido nada parecido com a vida que tenho sem a curiosidade. Falei que o tema do livro é inspirar outras pessoas a ver o simples poder da curiosidade para melhorar suas vidas.

O rosto de Koons ficou radiante. "Entendo", disse ele. "Adorei."

E o desenho que ele fez para a capa captura o que conversamos — uma linha aparentemente simples com o desenho de um rosto que transmite exatamente a alegria, franqueza e entusiasmo que ser curioso proporciona.

★ Uma Mente Curiosa ★

ESCRITOR APLICA
CHAVE DE BRAÇO EM PRODUTOR

Talvez o maior escritor de boxe da América moderna tenha sido Norman Mailer. Ele foi um grande escritor em muitos assuntos — Mailer ganhou o Prêmio Nacional do Livro e dois Pulitzers — e também uma tremenda força no cenário cultural da América a partir dos anos 1950, quando cofundou o *Village Voice*.

Quando começamos a trabalhar em *A luta pela esperança*, o filme sobre boxe que por fim exibimos para o presidente Bush na Casa Branca, concluí que seria divertido e valioso conversar com Mailer sobre o boxeador Jim Braddock e o papel do boxe na América da era da Depressão.

Encontrei Mailer em Nova York em 2004. Deixei-o escolher o local — ele selecionou o Royalton Hotel, um daqueles antigos hotéis famosos de Midtown que havia sido elegante, mas estava um pouco caído. (Depois disso o Royalton foi remodelado).

Era um *lobby* do tipo que tem aqueles velhos sofás encaroçados forrados em veludo. Ligeiramente desconfortáveis. Sentamos em diagonal. Mailer sentou-se bem perto de mim.

Quando nos encontramos, ele tinha 81 anos de idade, mas não tinha nada de velho. Sentamos nos sofás e conversamos sobre boxe, sobre relacionamentos. Queixamo-nos um para o outro de nossos relacionamentos.

Mesmo aos 81 anos, Mailer era um cara robusto. Era baixo, compacto e muito forte. Tinha um rosto grande e durão. E tinha uma voz muito interessante. Ele pronunciava cada palavra. Cada palavra tinha seu drama. Você se rendia à voz dele.

Era por volta de três da tarde, mas Mailer pediu um drinque. Lembro-me de pensar que era um pouco cedo para começar a beber

★ *Conversas de curiosidade de Brian Grazer: uma amostra* ★

— mas provavelmente não no mundo em que Norman Mailer vivia e escrevia. Ele era uma ponte para a era de Hemingway. Mailer pediu uma bebida que você esperaria de um cara como ele — algo antiquado, como um *sidecar*. Um drinque com uísque.

Mailer gostou da ideia de um filme sobre Jim Braddock. Ele era ranzinza — foi ranzinza a respeito da maioria das coisas naquela tarde. Mas gostou da ideia do filme.

Ele era meio engraçado. Tiramos algumas fotos — ele estava disposto a tirar fotos comigo, mas não foi cordial nem reticente a respeito. "Certo, tire. Você tem um segundo", disse ele.

Ao falar sobre boxe, Mailer usou os punhos para mostrar os socos. Falamos sobre lutas específicas — ele conseguia lembrar a sequência de socos de *rounds* específicos em lutas específicas —, e ele me mostrou os socos, literalmente deu os socos. Falamos sobre a fisionomia dos boxeadores, como estudam o corpo e o rosto uns dos outros, procurando os pontos onde os socos realmente vão machucar.

Ele estava demonstrando uma troca de socos de uma luta específica e disse: "E então ele atirou-o para fora do ringue".

Fiquei surpreso. Perguntei: "Como foi isso? Como ele atirou-o para fora do ringue?".

Mailer simplesmente se aproximou e disse: "Foi assim", e então, de repente, Norman Mailer me aplicou uma chave de braço. Em pleno *lobby* do Royalton Hotel. O escritor famoso aplicou uma chave de braço no produtor de Hollywood.

Eu não soube ao certo o que fazer.

Com os braços de Norman Mailer em volta de minha cabeça, ficou claro o quanto ele era forte. Foi levemente embaraçoso. Eu não queria lutar. Mas também não sabia ao certo o que aconteceria a seguir. Quanto tempo Norman Mailer me manteria na chave de braço?

Durou o bastante para deixar uma forte impressão.

CAFÉ DA MANHÃ COM OPRAH

Consegui conhecer Oprah Winfrey no momento exato em que precisei conhecê-la. Eu estava me sentindo meio para baixo, e Oprah era exatamente o tipo de pessoa calorosa, sensata e honesta com quem eu precisava conversar.

Era o início de 2007. Eu e Oprah nunca havíamos nos cruzado, a despeito de todo o impacto dela na TV e no cinema.

Eu estava conversando com Spike Lee e sabia que eles eram amigos. "Quero conhecer Oprah mais que tudo", eu disse a Spike. "Você me ajuda?"

Spike riu. "É só ligar para ela, cara!", disse ele.

"Eu não a conheço", eu disse. "Não creio que ela vá retornar a ligação."

Spike riu de novo. "Ela sabe quem você é", disse ele. "É só ligar para ela."

Spike deu o empurrão de que eu precisava. Liguei para Oprah.

No dia seguinte, estava sentado em meu escritório num encontro com Jennifer Lopez. Na real, JLo estava no escritório cantando uma linda balada espanhola para mim.

Minha assistente bateu na porta, abriu uma fresta e disse em um sussurro teatral: "Oprah está no telefone. É Oprah em pessoa".

Estremeci. Olhei para Jennifer. Eu disse: "JLo, é a própria Oprah. Tenho que falar com ela. Deixe-me atender a ligação".

Jennifer graciosamente parou de cantar. Mas não sorriu.

Peguei o telefone. "Oprah!", falei. "Nem sei como dizer o

★ Conversas de curiosidade de Brian Grazer: uma amostra ★

quanto gostaria de me encontrar com você. Irei onde você estiver." Expliquei minhas conversas de curiosidade em uma frase.

E, naquela voz maravilhosamente tranquilizadora de Oprah, ela disse: "Fico feliz por conhecê-lo, Brian. Claro que sei quem você é". E então ela falou algo bacana sobre um de meus filmes. "Estarei no Bel-Air Hotel de LA daqui a uns dias", acrescentou.

E foi assim que, dez dias mais tarde, na manhã de 29 de janeiro de 2007, sentei ao ar livre, no jardim do Bel-Air Hotel de Los Angeles, à espera de Oprah Winfrey para um café da manhã.

Estava me sentindo para baixo porque passava por uma crise de relacionamento. Eu tinha que tomar uma decisão de vida importante.

Oprah desceu para o café da manhã com a amiga e colega Gayle King. Comemos *huevos rancheros*. Conversamos sobre a vida, relacionamentos, o que é realmente importante e como preservar isso — não apenas no momento, mas a longo prazo.

Quem melhor para ter esse tipo de conversa quando você está se sentindo emocionalmente machucado e indeciso?

Oprah tem aquela sabedoria profunda do bom senso. Oprah também sabe ouvir. Ela me recordou que a vida é o processo em si, não os momentos individuais — que existe falibilidade, que evidentemente existe tanto felicidade quanto infelicidade.

"Estou sempre tentando resolver a vida", ela disse.

Conversamos por quase duas horas. Ficou evidente que Oprah tinha muitas coisas a fazer. Gayle estava pronta — vestia um traje de trabalho. Oprah, por outro lado, tinha que voltar ao quarto para se aprontar para encarar o dia. Ela tinha descido para o café da manhã à beira da piscina vestindo um pijama. E foi exatamente esse o nível de conforto de nossa conversa — como se ambos estivéssemos de pijama.

DIVIDINDO UMA TAÇA DE SORVETE COM UMA PRINCESA

Em termos de empolgação pura, nada supera um príncipe e uma princesa de verdade. Em setembro de 1995, fomos convidados a fazer uma *première* real do filme *Apollo 13* em Londres para o príncipe Charles, a princesa Diana e a família real.

Uma *première* real funciona de modo um pouco diferente, digamos, das exibições que fazemos na Casa Branca. O filme é exibido para a família real em um cinema de Londres e então, no caso de *Apollo 13*, todo mundo é convidado para jantar depois em um local diferente.

O príncipe Charles e a princesa Diana já estavam oficialmente separados, então não sabíamos bem quem iria ao evento. Mas, tão logo soubemos que iria acontecer, violei o protocolo procurando o gabinete da princesa Diana. Expliquei que estava ansioso pela *première*, para conhecer Sua Alteza Real, que eu realizava reuniões de curiosidade e apreciaria a oportunidade de sentar a sós com a princesa antes ou depois dos eventos noturnos.

Talvez não seja de surpreender não ter recebido resposta alguma.

A *première* foi realizada em 7 de setembro em um cinema no West End de Londres, e todos nós fizemos fila para cumprimentar formalmente a princesa Diana (o príncipe Charles não compareceu). Depois do filme, várias dezenas de pessoas foram jantar em um grande restaurante com mesas compridas retangulares. Tomamos nossos assentos conforme as orientações.

Pois bem, quando se faz uma *première* real, antes mesmo de pegar o avião para cruzar o Oceano Atlântico, o pessoal da

★ *Conversas de curiosidade de Brian Grazer: uma amostra* ★

Universal Studios dá instruções sobre o protocolo a ser observado na presença de membros da família real: como cumprimentar ("Sua Alteza Real"), não tocar, quando ficar em pé, quando sentar e quando se curvar. Há uma segunda sessão de instruções depois de se chegar a Londres.

Assim, ocupamos nossos lugares para o jantar, e a última pessoa a entrar foi a princesa Diana. Quando ela entrou, todos se levantaram. Ela sentou, tomamos nossos assentos — e sentada bem à minha frente ficou a princesa Diana.

Sem que eu soubesse, parecia que afinal de contas eu conseguiria minha conversa de curiosidade.

Diana estava extremamente bonita — de fato, naquela noite a princesa usou um vestido preto curto de Versace que recebeu muita atenção da imprensa de Londres por ser talvez o vestido mais curto que ela usou em público.

Tão logo sentamos, tomei uma decisão: eu não deixaria nossa conversa enquadrar-se no estilo pomposo que o protocolo ditava.

Decidi ser engraçado, jocoso. Ela conectou-se na mesma hora — reagiu em tom jocoso. Deu para ver que as pessoas em volta ficaram um pouco surpresas com meu comportamento e com a participação brincalhona da princesa.

Ela adorou *Apollo 13*. Não ficou animada como eu ficaria. Com aquela maravilhosa cadência britânica, ela disse: "É um filme fabuloso. Triunfante realmente. Um filme importante".

Falamos sobre filmes ao longo do jantar. Falamos sobre a cultura pop na América. Tom Hanks estava sentado ao lado da princesa e estava muito divertido naquela noite. Ron Howard estava do outro lado da princesa. Eu diria que, entre Tom e eu tentando fazer a princesa rir, Ron não teve chance de falar muito.

Diana me fez lembrar de Audrey Hepburn no filme *A princesa e o plebeu* — embora no caso de Diana ela fosse uma pessoa comum que se tornou princesa e não o contrário. O carisma de Diana provinha de sua beleza, atitude, atenção.

Fiquei muito surpreso com seu senso de humor. Não esperava que ela risse de nossas piadas. Pensei que fosse sorrir — mas ela riu. Pareceu libertador. Ela era a pessoa mais famosa do mundo, mas também um pouco presa. A risada era um toque de liberdade.

Não se fez pedidos para o jantar — o cardápio fora estabelecido de antemão. Ao terminarmos o prato principal, falei para a princesa: "Sabe, eu gosto muito de sorvete. Você acha que eu conseguiria um sorvete?".

A princesa Diana sorriu. "Se você quer sorvete", disse ela, "por que não pede a um dos garçons?".

Chamei um garçom e disse: "Gostaria de saber se a princesa Diana e eu poderíamos dividir uma taça de sorvete".

A princesa Diana olhou para mim com uma expressão que pareceu dizer: "Isso foi bonitinho. Audacioso. E estou um pouco horrorizada".

Os garçons saíram aos trambolhões para buscar sorvete. Eu diria que de fato nunca vi garçons atropelarem-se que nem eles tentando encontrar o sorvete.

Pouco depois, trouxeram-me uma taça de sorvete — uma bola de chocolate e uma bola de baunilha. Naturalmente, primeiro ofereci a taça à princesa Diana, e ela pegou uma ou duas colheradas. Depois peguei algumas.

Então, antes de acabar tudo, ofereci a taça de novo à princesa Diana. E, embora eu tivesse comido, ela pegou vários bocados a mais. Comeu depois de mim. Aquilo me deixou meio pasmo. Ela sorria.

Então, de repente, a princesa teve que partir.

Perguntei: "Por que você tem que ir embora? Estamos nos divertindo tanto!".

Ela disse: "É o protocolo. Tenho que ir embora antes da meia-noite". Igualzinho a um conto de fadas.

Então a princesa levantou-se, todos nós levantamos, e ela se foi.

CONVERSAS DE CURIOSIDADE DE BRIAN GRAZER: UMA LISTA

Desde o final da década de 1970, Brian Grazer tem se reunido com pessoas de diversas áreas para manter conversas abertas sobre suas vidas e trabalho. Abaixo, em ordem alfabética, uma lista de muitas das pessoas com quem Brian teve conversas de curiosidade. A lista é tão abrangente quanto a memória e os registros permitem; por favor, perdoe quaisquer omissões. Brian falou com tanta gente ao longo de 35 anos e explorou tantos tópicos que seria impossível fazer um registro de todos. Mas cada uma das conversas forneceu inspiração para as discussões sobre criatividade e narração de histórias para esse livro e para o trabalho de Brian.

50 Cent: músico, ator, empresário.

Joan Abrahamson: presidente do Instituto Jefferson, entidade de pesquisa e educação sem fins lucrativos, agraciada com a Bolsa MacArthur.

Paul Neal "Red" Adair: bombeiro de poços de petróleo, inovador em extinguir explosões de poços de petróleo no Kuwait.

Roger Ailes: presidente do Fox News Channel.

Doug Aitken: artista multimídia.

Muhammad Ali: lutador peso-pesado profissional de boxe, três vezes campeão mundial dos pesos-pesados.

John Allman: neurocientista, especialista em cognição humana.

Gloria Allred: advogada de direitos civis.

Brad Anderson: ex-CEO da Best Buy.

Chris Anderson: curador das conferências TED.

Philip Anschutz: empreendedor, cofundador da Major League Soccer (liga norte-americana de futebol), investidor em várias equipes esportivas profissionais.

David Ansen: ex-editor sênior de entretenimento da *Newsweek*.

Rose Apodaca: jornalista de cultura pop, moda e estilo.

Bernard Arnault: presidente e CEO da LVMH.

Rebecca Ascher-Walsh: jornalista, escritora.

Isaac Asimov: escritor de ficção científica.

Reza Aslan: acadêmico de estudos religiosos, escritor.

Tony Attwood: psicólogo, autor de livros sobre a síndrome de Asperger.

Lesley Bahner: responsável pela propaganda e pesquisa motivacional da campanha presidencial de Reagan–Bush de 1984.

F. Lee Bailey: advogado de defesa lendário, representou Patricia Hearst e Sam Sheppard.

Evan Bailyn: especialista em otimização de mecanismos de pesquisa, autor de *Outsmarting Google*.

Letitia Baldrige: especialista de etiqueta, secretária social de Jacqueline Kennedy.

Bob Ballard: oceanógrafo, explorador, arqueólogo subaquático que encontrou o *Titanic*.

★ Conversas de curiosidade de Brian Grazer: uma lista ★

David Baltimore: biólogo, ganhador do Nobel.

Richard Bangs: explorador, escritor, personalidade de TV.

Tyra Banks: modelo, apresentadora de TV.

Barry Barish: físico experimental, especialista em ondas gravitacionais.

Colette Baron-Reid: especialista em intuição.

John C. Beck: especialista de negócios em comunicações móveis, escritor.

Yves Béhar: *designer* industrial, empresário, defensor da sustentabilidade.

Harold Benjamin: diretor de centros da Wellness Community para pacientes com câncer.

Steve Berra: skatista profissional, cofundador do popular *site* de *skate* The Berrics.

Jeff Bewkes: CEO e presidente da Time Warner.

Jeff Bezos: fundador e CEO da Amazon.com, proprietário do *Washington Post*.

Jason Binn: fundador da revista *DuJour*, consultor chefe do Gilt Groupe, editor da Getty WireImage.

Ian Birch: diretor de desenvolvimento editorial e projetos especiais da Hearst Magazines, ex-editor da revista *US*.

Peter Biskind: crítico cultural, historiador de cinema, escritor, ex-editor executivo da revista *Premiere*.

Edwin Black: historiador e jornalista com foco em direitos humanos e abuso corporativo.

Keith Black: presidente da neurocirurgia no Centro Médico Cedars-Sinai de Los Angeles, especializado no tratamento de tumores cerebrais.

David Blaine: mágico, ilusionista, performer de *endurance art*.

Keith Blanchard: editor fundador da *Maxim*.

Alex Ben Block: jornalista, ex-editor sênior do *Hollywood Reporter*.

Sherman Block: ex-xerife do Condado de Los Angeles (1982–1998).

Michael Bloomberg: ex-prefeito de Nova York, fundador do serviço de informação financeira Bloomberg.

Tim Blum: confundador da galeria de arte comercial contemporânea Blum & Poe.

Adam Bly: criador da revista *Seed*, focada na interseção entre ciência e sociedade.

Alex Bogusky: *designer*, executivo de publicidade e *marketing*, escritor.

David Boies: advogado que representou o Departamento de Justiça dos EUA em *EUA v. Microsoft* e Al Gore em *Bush v. Gore*.

Mark Borovitz: rabino, ex-presidiário que dirige um centro de tratamento residencial para ex-presidiários e viciados em drogas.

Anthony Bozza: jornalista musical e escritor, colaborador da *Rolling Stone*.

William Bratton: comissário de polícia de Nova York.

Eli Broad: filantropo, empresário, colecionador de arte.

John Brockman: agente literário, escritor, fundador da Fundação Edge.

Bradford Brown: tradutor de *The Book of Five Rings* (O livro dos cinco anéis), obra escrita por um samurai japonês sobre a arte do confronto e a vitória.

Roy Brown: músico, compositor.

Tim Brown: CEO e presidente da firma de *design* IDEO.

Willie Brown: ex-prefeito de San Francisco, atuou como presidente da Assembleia Legislativa da Califórnia por quinze anos.

Tiffany Bryan: participante do reality show de TV *Fear Factor*.

Jane Buckingham: especialista na previsão de tendências.

Ted Buffington: especialista em desempenho sob pressão e tomada de decisões em situações críticas.

Vincent Bugliosi: procurador distrital adjunto que processou Charles Manson, coescreveu *Helter Skelter*.

Ed Bunker: criminoso de carreira e autor de romances policiais.

Tory Burch: *designer* de moda.

James Burke: CEO da Johnson & Johnson durante a crise do Tylenol em 1982.

Cara-Beth Burnside: mulher pioneira no *skate* e *snowboard*.

Chandler Burr: jornalista, escritor, curador de arte olfativa no Museu de Arte e *Design* de Nova York.

Eugenia Butler Sr.: *marchand* e colecionadora.

James T. Butts Jr.: prefeito de Inglewood, ex-chefe de polícia de Santa Mônica.

David Byrne: músico, membro fundador da banda Talking Heads.

Naomi Campbell: atriz, supermodelo.

Adam Carolla: *podcaster*, ex-apresentador do *Loveline*, programa independente de rádio com participação dos ouvintes.

John Carroll: jornalista, ex-editor do *Los Angeles Times* e do *Baltimore Sun*.

Sean B. Carroll: biólogo evolucionista, geneticista.

Mr. Cartoon: artista de tatuagem e graffiti.

Carlos Castañeda: antropólogo, autor de livros que descrevem *a sua* formação em xamanismo.

Celerino Castillo III: agente da DEA que revelou a troca de armas por drogas respaldada pela CIA na Nicarágua.

Brian Chesky: cofundador e CEO da Airbnb.

Deepak Chopra: escritor, médico, defensor da medicina alternativa.

Michael Chow: dono de restaurante.

Chuck D: músico, produtor musical, ex-líder do Public Enemy.

Steve Clayton: pesquisador futurista da Microsoft.

Eldridge Cleaver: líder do Partido dos Panteras Negras, autor de *Alma no exílio*.

Johnnie Cochran: advogado de defesa de O. J. Simpson.

Jared Cohen: diretor do Google Ideias.

Joel Cohen: especialista em população, biólogo matemático.

Kat Cohen: conselheira de admissão na universidade, autora de *The Truth About Getting In* (A verdade sobre entrar).

William Colby: ex-diretor da CIA (1973–1976).

Elizabeth Baron Cole: nutricionista.

Jim Collins: consultor de gestão, especialista em negócios e gestão, autor de *Empresas feitas para vencer — Good to great*.

Robert Collins: neurologista, ex-presidente de neurologia na Faculdade de Medicina da UCLA.

Sean Combs: músico, produtor musical, estilista, empresário.

Richard Conniff: autor especialista em comportamento humano e animal.

Tim Cook: CEO da Apple.

Tatiana Cooley-Marquardt: vencedora por três vezes do Campeonato de Memória dos EUA.

Anderson Cooper: jornalista, autor, personalidade da TV, âncora do programa *Anderson Cooper 360*, da CNN.

★ Conversas de curiosidade de Brian Grazer: uma lista ★

Norman Cousins: guru médico, autor de *Anatomy of an Illness: As Perceived by the Patient* (Anatomia de uma doença: conforme percebida pelo paciente).

Jacques Cousteau: oceanógrafo, pioneiro em conservação marinha.

Chris W. Cox: principal lobista da Associação Nacional do Rifle.

Steve Coz: ex-editor da *National Enquirer*.

Donald Cram: professor de química da UCLA, ganhador do Prêmio Nobel de Química.

Jim Cramer: investidor, autor, personalidade da TV, apresentador do programa *Mad Money* da CNBC.

Clyde Cronkhite: perito em justiça criminal, ex-delegado de Santa Ana, ex-subchefe de polícia de Los Angeles.

Mark Cuban: investidor, proprietário do Dallas Mavericks da NBA.

Heidi Siegmund Cuda: jornalista, ex-crítica de música do *Los Angeles Times*.

Thomas Cummings: especialista destacado no planejamento de organizações de alto desempenho e mudança estratégica na Faculdade de Administração Marshall da USC.

Fred Cuny: especialista em ajuda em catástrofes.

Mario Cuomo: ex-governador de Nova York (1983–1994).

Alan Dershowitz: advogado, estudioso constitucional, professor emérito da Faculdade de Direito de Harvard.

Donny Deutsch: executivo de publicidade, personalidade da TV.

Jared Diamond: biólogo evolucionista, escritor, professor da UCLA, vencedor do Prêmio Pulitzer.

Alfred "Fred" DiSipio: promotor musical investigado durante o escândalo do jabá.

DMX: músico, ator.

Thomas R. Donovan: ex-CEO da Câmara de Comércio de Chicago.

Jack Dorsey: cofundador do Twitter, fundador e CEO da Square Inc.

Steve Drezner: especialista em análise de sistemas e projetos militares da RAND Corporation.

Ann Druyan: autora e produtora especializada em cosmologia e ciência popular.

Marian Wright Edelman: fundadora e presidente do Fundo de Defesa das Crianças.

Betty Edwards: autora de *Desenhando com o lado direito do cérebro.*

Peter Eisenhardt: astrônomo, físico do Laboratório de Propulsão a Jato da NASA.

Paul Ekman: psicólogo, pioneiro no estudo das emoções e sua relação com as expressões faciais.

Anita Elberse: professora de administração de empresas da Faculdade de Administração de Harvard.

Eminem: músico, produtor musical, ator.

Selwyn Enzer: futurista, ex-diretor do Centro de Pesquisa de Futuros da USC.

Susan Estrich: advogada, escritora, primeira mulher a chefiar uma grande campanha presidencial (de Michael Dukakis).

Harold Evans: jornalista, escritor, ex-editor do *Sunday Times*, fundou o *Condé Nast Traveler.*

Ron W. Fagan: sociólogo, ex-professor na Universidade de Pepperdine.

★ Conversas de curiosidade de Brian Grazer: uma lista ★

Barbara Fairchild: ex-editora da *Bon Appétit* (2000–2010).

Shepard Fairey: artista, *designer* gráfico, ilustrador.

Linda Fairstein: autora, ex-procuradora-chefe da Unidade de Crimes Sexuais do Gabinete da Promotoria Pública de Manhattan.

John Fiedler: diretor de pesquisa de comunicações para a campanha presidencial de Reagan–Bush de 1984.

Louis C. Finch: ex-vice-subsecretário de defesa de pessoal e prontidão do Departamento de Defesa dos EUA.

Henry Finder: diretor editorial da *New Yorker*.

Ted Fishman: jornalista, autor de *China S.A.: como a ascensão da próxima superpotência desafia os Estados Unidos e o mundo*.

John Flicker: ex-presidente e CEO da Sociedade Nacional de Audubon.

William Ford Jr.: presidente e ex-CEO da Ford Motor Company e bisneto de Henry Ford.

Matthew Freud: chefe da Freud Communications e bisneto de Sigmund Freud.

Glen Friedman: fotógrafo que faz muitos trabalhos com skatistas e músicos, artista, autor de *Fuck You Heroes* (Heróis, vão se foder).

Bonnie Fuller: jornalista, executiva de mídia, editora do HollywoodLife.com.

Bob Garcia: colecionador e especialista de cartões de beisebol.

Howard Gardner: psicólogo cognitivo, desenvolveu a teoria das inteligências múltiplas.

Daryl F. Gates: ex-chefe de polícia de Los Angeles (1978–1992).

Vince Gerardis: empreendedor.

David Gibson: filósofo, estudioso do filósofo grego antigo Platão.

Françoise Gilot: pintora, autora de *A minha vida com Picasso.*

Malcolm Gladwell: escritor, jornalista, colaborador da *New Yorker.*

Rebecca Glashow: executiva de mídia digital envolvida no lançamento do primeiro sistema de vídeo sob demanda.

Sheldon Glashow: físico teórico, professor emérito da Universidade de Harvard, ganhador do Prêmio Nobel de Física.

Bernard Glassman: professor de zen e cofundador da Ordem Zen Fazedor da Paz.

Barry Glassner: presidente da Faculdade Lewis & Clark, ex-vice-reitor executivo da Universidade do Sul da Califórnia.

John Goddard: aventureiro, escritor, primeiro homem a percorrer todo o rio Nilo de caiaque.

Russell Goldsmith: CEO do City National Bank.

Adam Gopnik: colaborador da *New Yorker* e autor de *Paris to the Moon* (Paris para a Lua).

Andrew Gowers: ex-editor do *Financial Times.*

Robert Graham: escultor.

Brian Greene: físico teórico, professor da Universidade de Colúmbia, especialista na teoria das cordas.

Robert Greene: palestrante e escritor conhecido por livros sobre estratégia, poder e sedução.

Linda Greenhouse: jornalista, ex-repórter da Suprema Corte dos EUA para o *New York Times*, vencedora do Prêmio Pulitzer.

Lisa Gula: ex-cientista trabalhando em sistemas de defesa antimísseis na XonTech.

Sanjay Gupta: neurocirurgião, principal correspondente médico da CNN.

Ramón A. Gutiérrez: professor de história na Universidade de Chicago especializado em raça e relações étnicas nos EUA.

★ Conversas de curiosidade de Brian Grazer: uma lista ★

Joseph T. Hallinan: jornalista, escritor, vencedor do Prêmio Pulitzer de reportagem investigativa.

Dean Hamer: geneticista, cientista emérito no Instituto Nacional do Câncer, especialista em genes e sua influência no comportamento humano.

Dian Hanson: editora de revistas pornográficas, editora de livros de arte da Taschen.

Tom Hargrove: cientista agrícola sequestrado na Colômbia por narcoguerrilheiros das FARC, inspirou o filme *Prova de vida*.

Mark Harris: jornalista, ex-editor-executivo da *Entertainment Weekly*.

Sam Harris: neurocientista, autor de *A morte da fé*.

Bill Harrison: especialista em visão, com foco no treinamento da visão nos esportes para maximizar os reflexos olho-mente-corpo.

Reed Hastings: cofundador e CEO da Netflix.

Laura Hathaway: coordenadora nacional da American Mensa International, Programas de Recursos para Crianças Dotadas.

Zahi Hawass: arqueólogo, egiptólogo, ex-ministro de Antiguidades do Egito.

John Hay: maçom.

Lutfallah Hay: antigo membro do Parlamento no Irã pré-revolucionário, maçom.

Susan Headden: ex-repórter e editora da *U.S. News & World Report*, vencedora do Prêmio Pulitzer de reportagem investigativa.

Jack Healey: ativista de direitos humanos, ex-diretor-executivo da Anistia Internacional dos EUA.

Thomas Heaton: sismólogo, professor no Instituto de Tecnologia da Califórnia, contribuiu para o desenvolvimento de sistemas de alerta precoce de terremotos.

Peter Herbst: jornalista, ex-editor das revistas *Premiere* e *New York*.

Danette Herman: executiva de talentos do Oscar.

Seymour Hersh: repórter investigativo, escritor, ganhador do Prêmio Pulitzer por descobrir o massacre de My Lai e seu acobertamento durante a Guerra do Vietnã.

Dave Hickey: crítico de arte e cultura que escreveu para a *Harper's*, *Rolling Stone* e *Vanity Fair*.

Jim Hightower: ativista político progressista, apresentador de *talk show* de rádio.

Tommy Hilfiger: *designer* de moda, fundador do conceito de marca de estilo de vida.

Christopher Hitchens: jornalista e autor que era crítico da política e da religião.

David Hockney: artista e nome importante do movimento *pop art* na década de 1960.

Nancy Irwin: hipnoterapeuta.

Chris Isaak: músico, ator.

LeBron James: jogador de basquete da NBA.

Mort Janklow: agente literário, fundador e presidente da agência literária Janklow & Nesbit Associates.

Jay Z: músico, produtor musical, estilista, empresário.

Wyclef Jean: músico, ator.

James Jebbia: CEO da marca de roupas Suprem.

Harry J. Jerison: paleoneurologista, professor emérito da Universidade da Califórnia.

Steve Jobs: cofundador e ex-CEO da Apple Inc., cofundador e ex-CEO da Pixar.

Betsey Johnson: estilista.

★ Conversas de curiosidade de Brian Grazer: uma lista ★

Jamie Johnson: documentarista que dirigiu *Born Rich* (Nascido rico), herdeiro da fortuna da Johnson & Johnson.

Larry C. Johnson: ex-analista da CIA, consultor de segurança e terrorismo.

Robert L. Johnson: empresário, magnata da mídia, cofundador e ex-presidente da BET.

Sheila Johnson: cofundadora da BET, primeira mulher afro-americana a ser proprietária/sócia de três times esportivos profissionais.

Steve Johnson: teórico da mídia, autor de ciência popular, cocriador da revista *on-line FEED*.

Jackie Joyner-Kersee: medalhista de ouro olímpica e estrela do atletismo.

Michiko Kakutani: crítica literária do *New York Times*, vencedora do Prêmio Pulitzer de crítica.

Sam Hall Kaplan: ex-crítico de arquitetura do *Los Angeles Times*.

Masoud Karkehabadi: menino prodígio que se formou na faculdade com treze anos de idade.

Patrick Keefe: escritor, colaborador da *New Yorker*.

Gershon Kekst: fundador da empresa de comunicação corporativa Kekst and Co.

Jill Kelleher: casamenteiro profissional e fundador e CEO da Kelleher & Associates.

Robin D. G. Kelley: historiador e professor da UCLA especializado em estudos afro-americanos.

Sheila Kelley: atriz e dançarina, criadora do sistema S Factor de exercícios de *pole dance*.

Philip Kellman: psicólogo cognitivo e professor na UCLA

especializado em aprendizagem perceptiva e aprendizagem adaptativa.

Joseph Kennedy II: empresário, político democrata, fundador da Citizens Energy Corp., filho do senador Robert F. Kennedy e Ethel Kennedy.

Gayle King: editora geral de *O, The Oprah Magazine*, âncora do programa *This Morning* da CBS.

Alex Kipman: membro técnico da Microsoft, coinventor do Kinect para Xbox.

Robert Kirby: cinesiologista que estuda a ciência da medicina muscular.

Henry Kissinger: ex-secretário de Estado dos EUA, diplomata, laureado com o Nobel da Paz.

Calvin Klein: *designer* de moda.

Elsa Klensch: jornalista, crítica de moda, ex-apresentadora do programa *Style with Elsa Klensch* na CNN.

Phil Knight: cofundador, presidente e ex-CEO da Nike Inc.

Beyoncé Knowles: cantora, atriz.

Christof Koch: neurocientista e professor no Instituto de Tecnologia da Califórnia especializado em consciência humana.

Clea Koff: antropóloga forense, trabalhou com as Nações Unidas para revelar o genocídio em Ruanda.

Stephen Kolodny: advogado, atua em direito de família.

Rem Koolhaas: arquiteto, teórico de arquitetura, professor da Faculdade de *Design* de Harvard.

Jeff Koons: artista.

Jesse Kornbluth: jornalista, editor de um serviço de *concierge* cultural.

Richard Koshalek: ex-diretor do Museu de Arte Contemporânea de Los Angeles.

★ *Conversas de curiosidade de Brian Grazer: uma lista* ★

Mark Kostabi: artista, compositor.

Anna Kournikova: tenista profissional.

Lawrence Krauss: físico teórico, cosmólogo, professor da Universidade Estadual do Arizona.

Steve Kroft: jornalista, correspondente do programa *60 Minutes* da CBS.

William LaFleur: escritor, professor na Universidade da Pensilvânia especializado em cultura japonesa.

Steven Lamy: professor de relações internacionais na Universidade do Sul da Califórnia.

Lawrence Lawler: ex-agente especial no comando do escritório de campo do FBI em Los Angeles.

Nigella Lawson: jornalista, escritora de gastronomia, apresentadora de TV.

Sugar Ray Leonard: boxeador profissional que conquistou títulos mundiais em cinco categorias de peso.

Maria Lepowsky: antropóloga, professora na Universidade de Wisconsin–Madison, viveu com o povo indígena de uma ilha da Papua-Nova Guiné.

Lawrence Lessig: ativista pela liberdade e neutralidade da internet, professor na Faculdade de Direito de Harvard.

Cliff Lett: piloto profissional de corridas de carro, *designer* de carros controlados por rádio.

Robert A. Levine: ex-economista da RAND Corporation.

Ariel Levy: jornalista, escritor da revista *New York*.

Dany Levy: fundador da *newsletter* por *e-mail* DailyCandy.

Roy Lichtenstein: artista pop.

John Liebeskind: ex-professor na UCLA, investigador proeminente no estudo da dor e sua relação com a saúde.

Alan Lipkin: ex-agente especial da divisão de investigação criminal da Receita dos EUA.

Margaret Livingstone: neurobiologista especializada em visão, professora da Faculdade de Medicina de Harvard.

Tom Lōc: músico, ator.

Elizabeth Loftus: psicóloga cognitiva e especialista em memória humana, professora na Universidade da Califórnia–Irvine.

Lisa Love: diretora da *Vogue* e *Vogue Teen* na Costa Oeste.

Jim Lovell: astronauta da era Apolo, comandante da missão Apollo 13, que teve uma pane.

Thomas Lovejoy: ecologista, professor da Universidade George Mason, ex-secretário assistente para assuntos externos e ambientais no Instituto Smithsonian, especialista em desmatamento tropical.

Malcolm Lucas: ex-presidente da Suprema Corte da Califórnia (1987–1996).

Oliver Luckett: fundador e CEO da theAudience, empresa de conteúdo de mídia social.

Frank Luntz: consultor político e especialista em pesquisa.

Peter Maass: escritor e jornalista que cobre conflitos e guerras internacionais.

Norman Mailer: escritor, dramaturgo, cineasta, jornalista, cofundador do *Village Voice*.

Sir John Major: ex-primeiro-ministro do Reino Unido (1990–1997).

Michael Malin: astrônomo, *designer* e desenvolvedor de câmeras usadas para explorar Marte.

P. J. Mara: ex-senador irlandês e conselheiro político do primeiro-ministro irlandês Charles Haughey.

★ *Conversas de curiosidade de Brian Grazer: uma lista* ★

Lou Marinoff: filósofo que trabalha com a teoria da decisão e filosofia política, professor da Faculdade da Cidade de Nova York.

Thom Mayne: arquiteto, cofundador da empresa de arquitetura Morphosis.

John McCain: senador do Arizona, candidato republicano a presidente em 2008.

Terry McAuliffe: governador da Virgínia, ex-presidente do Comitê Nacional Democrata.

Kevin McCabe: teórico econômico, neuroeconomista, professor da Universidade George Mason.

Susan McCarthy: ex-gerente municipal de Santa Mônica.

Susan McClary: musicóloga que combina musicologia com crítica musical feminista, professora da Universidade Case Western Reserve.

Terry McDonell: editor, executivo de mídia, ex-editor-chefe da *Esquire.*

Paul McGuinness: ex-empresário da banda U2.

Robert McKee: instrutor de escrita criativa, ex-professor da Universidade do Sul da Califórnia.

Daniel McLean: estudioso de clássicos e professor da UCLA.

Bruce McNall: executivo de esportes, ex-proprietário da equipe de hóquei da NHL Los Angeles Kings.

Leonard Mehlmauer: naturopata, pesquisador que criou o termo "eyology" (olhologia).

Sonny Mehta: presidente e editor-chefe da editora Alfred A. Knopf.

Steven Meisel: fotógrafo de moda.

Susan Meiselas: fotógrafa documental.

Suzy Menkes: jornalista britânica, escritora, ex-repórter e editora de moda do *International Herald Tribune.*

Millard "Mickey" Drexler: CEO e presidente da J. Crew, ex-presidente e CEO da Gap.

Jack Miles: editor, escritor, ganhador do Prêmio Pulitzer e da Bolsa MacArthur.

Marvin Mitchelson: advogado de divórcio de celebridades, pioneiro no conceito de pensão para parceiros não casados que viviam juntos.

Isaac Mizrahi: estilista.

Tim Montgomery: corredor olímpico destituído de seu recorde mundial após ser condenado pelo uso de drogas para melhorar o desempenho.

Robert Morgenthau: advogado, promotor de Manhattan por mais tempo no cargo.

Patrick B. Moscaritolo: CEO da Greater Boston Convention & Visitors Bureau.

Kate Moss: supermodelo e *designer* de moda.

Lawrence Moulter: ex-presidente e CEO da New Boston Garden Corporation.

Bill Moyers: jornalista, comentarista político, ex-assessor de imprensa da Casa Branca.

Robert Mrazek: escritor, ex-congressista.

Patrick J. Mullany: ex-agente especial do FBI, pioneiro em traçar perfis de criminosos.

Kary Mullis: bioquímico, laureado com o Nobel de Química pelo trabalho com DNA.

Takashi Murakami: artista, pintor, escultor.

Blake Mycoskie: empresário, filantropo, fundador e principal doador de sapatos da TOMS.

Nathan Myhrvold: ex-diretor de tecnologia da Microsoft.

★ Conversas de curiosidade de Brian Grazer: uma lista ★

Ed Needham: ex-editor-chefe da *Rolling Stone* e editor-chefe da *Maxim.*

Sara Nelson: cofundadora do escritório de advocacia de interesse público Christic Institute.

Benjamin Netanyahu: primeiro-ministro de Israel.

Jack Newfield: jornalista, escritor, ex-colunista do *Village Voice.*

Nobuyuki "Nobu" Matsuhisa: *chef* e *restaurateur.*

Peggy Noonan: redatora de discursos e assistente especial do presidente Ronald Reagan, escritora, colunista do *Wall Street Journal.*

Anthony Norvell: especialista em metafísica, escritor.

Barack Obama: presidente dos Estados Unidos, ex-senador de Illinois.

ODB: músico, produtor musical, membro fundador do Wu-Tang Clan.

Richard Oldenburg: ex-diretor do Museu de Arte Moderna de Nova York.

Mary-Kate e Ashley Olsen: atrizes, *designers* de moda.

Olu Dara e Jim Dickinson: músicos e produtores musicais.

Estevan Oriol: fotógrafo cujo trabalho muitas vezes retrata a Los Angeles urbana e a cultura de gangues.

Lawrence Osborne: jornalista, autor de *American Normal: The Hidden World of Asperger Syndrome* (Normalidade americana: o mundo secreto da síndrome de Asperger).

Manny Pacquiao: boxeador profissional, primeiro campeão mundial em oito categorias de peso.

David Pagel: crítico de arte, escritor, curador, professor de história da arte na Universidade de Claremont, especializado em arte contemporânea.

Anthony Pellicano: investigador particular badalado de Los Angeles.

Robert Pelton: jornalista de zonas de conflito, autor dos livros *The World's Most Dangerous Places* (Os lugares mais perigosos do mundo).

Andy Pemberton: ex-editor-chefe da revista *Blender*.

David Petraeus: ex-diretor da CIA (2011–2012), general de quatro estrelas aposentado do exército dos EUA.

Mariana Pfaelzer: juíza do Tribunal Federal dos Estados Unidos, opôs-se à Proposição 187 da Califórnia.

Jay Phelan: biólogo evolucionista, professor da UCLA.

Ann Philbin: diretora do Museu de Arte Hammer de Los Angeles.

Mark Plotkin: etnobotânico, escritor, especialista em ecossistemas de floresta tropical.

Christopher "moot" Poole: empresário da internet, criou os *site*s 4chan e Canvas.

Peggy Post: diretora do Instituto Emily Post, autora e consultora de etiqueta.

Virginia Postrel: jornalista de política e cultura, escritora.

Colin Powell: ex-secretário de Estado dos EUA, ex-chefe do Estado-Maior do Exército, ex-conselheiro de segurança nacional, general de quatro estrelas aposentado do exército dos EUA.

Ned Preble: ex-executivo da metodologia Synectics de solução criativa de problemas.

Ilya Prigogine: químico, professor da Universidade do Texas em Austin, ganhador do Prêmio Nobel de Química, autor de *O fim das certezas: tempo, caos e as leis da natureza*.

Prince: músico, produtor musical, ator.

★ Conversas de curiosidade de Brian Grazer: uma lista ★

Wolfgang Puck: *chef, restaurateur*, empresário.

Pussy Riot: Maria Alyokhina e Nadezhda Tolokonnikova, as duas integrantes do grupo de punk rock feminista russo que cumpriram pena na prisão.

Steven Quartz: filósofo, professor no Instituto de Tecnologia da Califórnia especializado em sistemas de valor do cérebro e como eles interagem com a cultura.

James Quinlivan: analista da RAND Corporation, especializado na introdução de tecnologia e mudança em organizações de grande porte.

William C. Rader: psiquiatra, ministra injeções de células-tronco para uma variedade de doenças.

Jason Randal: mágico, mentalista.

Ronald Reagan: ex-presidente dos Estados Unidos (1981–1989).

Sumner Redstone: magnata da mídia, empresário, presidente da CBS, presidente da Viacom.

Judith Regan: editora de livros.

Eddie Rehfeldt: diretor executivo de criação da firma de comunicações Waggener Edstrom.

David Remnick: jornalista, escritor, editor da *New Yorker*, vencedor do Prêmio Pulitzer.

David Rhodes: presidente da CBS News, ex-vice-presidente de notícias da Fox News.

Matthieu Ricard: monge budista francês, fotógrafo, autor de *Felicidade: a prática do bem-estar*.

Condoleezza Rice: ex-secretária de Estado dos EUA (2005–2009), ex-conselheira de segurança nacional dos EUA, ex-reitora da Universidade de Stanford, professora de economia política da Faculdade de Administração de Stanford.

Frank Rich: jornalista, escritor, ex-colunista do *New York Times*, editor geral da revista *New York*.

Michael Rinder: ativista e ex-executivo sênior da Igreja de Cientologia Internacional.

Richard Riordan: ex-prefeito de Los Angeles (1993–2001), empresário.

Tony Robbins: *coach* de vida, autor, palestrante motivacional.

Robert Wilson e Richard Hutton: advogados criminalistas de defesa.

Brian L. Roberts: presidente e CEO da Comcast Corporation.

Burton B. Roberts: presidente da Suprema Corte de Nova York no Bronx, modelo para um personagem do romance *A fogueira das vaidades*, de Tom Wolfe.

Michael Roberts: jornalista de moda, diretor de moda e estilo da revista *Vanity Fair*, ex-diretor de moda da *New Yorker*.

Joe Robinson: palestrante e instrutor de equilíbrio e produtividade na vida e trabalho.

Gerry Roche: presidente sênior da Heidrick & Struggles, empresa de recrutamento de executivos de negócios.

Aaron Rose: diretor de cinema, curador de mostra de arte, escritor.

Charlie Rose: jornalista, entrevistador de TV, apresentador do programa *Charlie Rose* na PBS.

Maer Roshan: escritor, editor, empresário que lançou a revista *Radar* e o radaronline.com.

Pasquale Rotella: fundador da Insomniac Events, que produz o festival de música Electric Daisy Carnival.

Karl Rove: consultor político republicano, principal estrategista da campanha presidencial de George W. Bush, conselheiro sênior e subchefe de gabinete durante a administração George W. Bush.

Rick Rubin: produtor musical, fundador da Def Jam Records.

Ed Rusha: artista pop.

Salman Rushdie: escritor, autor de *Os filhos da meia-noite* e *Os versos satânicos*, vencedor do Prêmio Booker.

RZA: líder do Wu-Tang Clan, músico, ator, produtor musical.

Charles Saatchi: cofundador da agência de publicidade Saatchi & Saatchi, cofundador da agência de publicidade M&C Saatchi.

Jeffrey Sachs: economista, professor da Universidade de Colúmbia, diretor do Instituto Terra na Universidade de Colúmbia.

Oliver Sacks: neurologista, escritor, professor da Faculdade de Medicina da Universidade de Nova York.

Carl Sagan: astrônomo, astrofísico, cosmólogo, escritor, professor na Universidade de Cornell, narrou e coescreveu a série *Cosmos* da PBS TV.

Jonas Salk: cientista, desenvolvedor da primeira vacina contra pólio, fundador do Instituto Salk de Estudos Biológicos.

Jerry Saltz: crítico de arte da revista *New York*.

James Sanders: estudioso do Antigo Testamento e um dos editores dos pergaminhos do Mar Morto.

Shawn Sanford: diretor de *marketing* de estilo de vida da Microsoft.

Robert Sapolsky: neuroendocrinologista, professor da Faculdade de Medicina de Stanford.

John Sarno: professor de medicina de reabilitação na Faculdade de Medicina da Universidade de Nova York.

Michael Scheuer: ex-agente de inteligência da CIA, ex-chefe da unidade de rastreamento de Osama bin Laden no Centro de Antiterrorismo da CIA, escritor.

Paul Schimmel: ex-curador-chefe do Museu de Arte Contemporânea de Los Angeles.

Julian Schnabel: artista, cineasta.

Howard Schultz: presidente e CEO da Starbucks.

John H. Schwarz: físico teórico, professor do Instituto de Tecnologia da Califórnia, um dos pais da teoria das cordas.

David Scott: astronauta da era Apolo, primeira pessoa a dirigir na Lua.

Mary Lynn Scovazzo: cirurgiã ortopedista, especialista em medicina esportiva.

Terrence Sejnowski: professor, dirige o Laboratório de Neurobiologia Computacional do Instituto Salk de Estudos Biológicos.

Marshall Sella: jornalista da *GQ*, *New York* e *New York Times Magazine*.

Al Sharpton: ministro batista, ativista dos direitos civis, apresentador de *talk show*.

Daniel Sheehan: advogado constitucional e de interesse público, cofundador do Christic Institute e fundador do Instituto Romero.

Mike Sheehan: policial de Nova York que se tornou repórter de notícias.

Yoshio Shimomura: consultor de cultura japonesa.

Ronald K. Siegel: psicofarmacologista, escritor.

Michael Sigman: ex-presidente e editor da *LA Weekly*.

Sanford Sigoloff: empresário, especialista em recuperação corporativa.

Ben Silbermann: empreendedor, cofundador e CEO do Pinterest.

★ *Conversas de curiosidade de Brian Grazer: uma lista* ★

Simon Sinek: ex-executivo de publicidade, palestrante motivacional, autor de *Por quê? Como grandes líderes inspiram ação*.

Mike Skinner: músico, produtor musical, líder do projeto inglês de hip-hop The Streets.

Anthony Slide: jornalista, escritor, especialista em história do entretenimento popular.

Carlos Slim: empresário mexicano, investidor, filantropo.

Gary Small: professor de psiquiatria na Faculdade de Medicina da UCLA, diretor do Centro de Envelhecimento da UCLA.

Fred Smith: fundador, presidente e CEO da FedEx Corp.

Rick Smolan: cocriador da série de livros *A Day in the Life* (Um dia na vida), ex-fotógrafo das revistas *National Geographic*, *Time* e *Life*.

Frank Snepp: jornalista, ex-agente da CIA e analista durante a Guerra do Vietnã.

Scott Snyder: escritor de quadrinhos e contos.

Scott Andrew e Tracy Forman-Snyder: *design* e direção de arte da Arkitip.

Johnny Spain: um dos "Seis de San Quentin" que tentaram escapar da prisão estadual de San Quentin em 1971.

Gerry Spence: advogado famoso, nunca perdeu um caso criminal como promotor ou advogado de defesa.

Art Spiegelman: cartunista, ilustrador, autor de *Maus*, vencedor do Prêmio Pulitzer.

Eliot Spitzer: ex-governador de Nova York (2007–2008), ex-procurador-geral de Nova York.

Peter Stan: analista e teórico econômico da RAND Corporation.

Gwen Stefani: cantora, *designer* de moda.

Howard Stern: personalidade de rádio e TV.

Cyndi Stivers: jornalista, ex-editora-chefe da *Time Out New York*.

Biz Stone: cofundador do Twitter.

Neil Strauss: autor de *O jogo: a bíblia da sedução*.

Yancey Strickler: cofundador e CEO da Kickstarter.

James Surowiecki: jornalista, colunista de empresas e finanças da *New Yorker*.

Eric Sussman: professor acadêmico da Faculdade de Gestão da UCLA, presidente da Amber Capital.

t.A.T.u.: duo russo de música.

André Leon Talley: colaborador e ex-editor geral da *Vogue*.

Amy Tan: autora de *O clube da felicidade e da sorte*.

Gerald Tarlow: psicólogo clínico e terapeuta.

Ron Teeguarden: herborista, explora técnicas de cura asiáticas.

Edward Teller: físico teórico, pai da bomba de hidrogênio.

Ed Templeton: skatista profissional, fundador da empresa de *skate* Toy Machine.

Margaret Thatcher: ex-primeira-ministra do Reino Unido (1979–1990).

Lynn Tilton: investidora, empresária, fundadora e CEO da Patriarch Partners.

Justin Timberlake: músico, ator.

Jeffrey Toobin: jornalista, escritor, advogado, redator da *New Yorker*, analista jurídico sênior da CNN.

Abdullah Toukan: CEO do Centro de Análise Estratégica e Avaliação de Risco Global (SAGRA) no Jordão.

Robert Trivers: biólogo evolucionista, professor da Universidade de Rutgers.

★ *Conversas de curiosidade de Brian Grazer: uma lista* ★

Richard Turco: cientista atmosférico, professor emérito da UCLA, agraciado com a Bolsa MacArthur.

Ted Turner: magnata da mídia, fundador da CNN.

Richard Tyler: *designer* de moda.

Tim Uyeki: epidemiologista no Centro de Controle e Prevenção de Doenças dos EUA.

Craig Venter: bioquímico, geneticista, empreendedor, um dos primeiros a sequenciar o genoma humano.

René-Thierry Magon de la Villehuchet: aristocrata francês, gestor de dinheiro, um dos fundadores da Access International Advisors, apanhado no escândalo financeiro Madoff.

Bill Viola: videoartista cujo trabalho explora estágios de consciência.

Jefferson Wagner: ex-vereador de Malibu, proprietário da Zuma Jay Surfboards.

Rufus Wainwright: músico.

John Walsh: historiador de arte, curador, ex-diretor do Museu J. Paul Getty.

Andy Warhol: artista pop.

Robert Watkins: empresário, presidente da Fundação de Rúgbi dos EUA.

Kenneth Watman: analista da RAND Corporation especializado em defesa estratégica e dissuasão nuclear.

James Watson: biólogo molecular, geneticista, zoólogo, codescobridor da estrutura do DNA, ganhador do Prêmio Nobel de Medicina.

Andrew Weil: médico, naturopata, professor, escritor de saúde holística.

Jann Wenner: cofundador e editor da *Rolling Stone*, dono da *Men's Journal* e *US Weekly*.

Kanye West: músico, produtor musical, *designer* de moda.

Michael West: gerontologista, empreendedor, pesquisador de células-tronco, trabalha em medicina regenerativa.

Floyd Red Crow Westerman: músico, ativista político de causas dos nativos americanos.

Vivienne Westwood: estilista que desenvolveu a moda punk e new wave.

Peter Whybrow: psiquiatra, endocrinologista, pesquisa hormônios e a psicose maníaco-depressiva.

Hugh Wilhere: porta-voz da Igreja da Cientologia.

Pharrell Williams: músico, produtor musical, *designer* de moda.

Serena Williams: jogadora de tênis profissional.

Willie L. Williams: ex-chefe de polícia de Los Angeles.

Marianne Williamson: professora espiritual, guru da nova era.

Ian Wilmut: embriologista, liderou a equipe de pesquisadores que clonou um mamífero com sucesso pela primeira vez (a ovelha chamada Dolly).

E. O. Wilson: biólogo, escritor, professor emérito da Universidade de Harvard, duas vezes vencedor do Prêmio Pulitzer.

Oprah Winfrey: fundadora e presidente da Oprah Winfrey Network, atriz, escritora.

George C. Wolfe: dramaturgo, diretor de teatro, duas vezes vencedor do Prêmio Tony.

Steve Wozniak: cofundador da Apple Inc., criador dos computadores Apple I e Apple II, inventor.

John D. Wren: presidente e CEO da Omnicom, empresa de *marketing* e comunicação.

Will Wright: *designer* de jogos, criador de SimCity e The Sims.

★ Conversas de curiosidade de Brian Grazer: uma lista ★

Steve Wynn: empresário, magnata de cassinos de Las Vegas.

Gideon Yago: escritor, ex-correspondente da *MTV News*.

Eitan Yardeni: professor e conselheiro espiritual do Centro de Cabala.

Daniel Yergin: economista, autor de *O petróleo: uma história mundial de conquistas, poder e dinheiro*, vencedor do Prêmio Pulitzer.

Dan York: diretor de conteúdo da DirecTV, ex-presidente de conteúdo e venda de publicidade da AT & T.

Michael W. Young: geneticista, professor da Universidade Rockefeller, especializado no relógio biológico e ritmos circadianos.

Shinzen Young: professor de meditação.

Eran Zaidel: neuropsicólogo, professor da UCLA, especialista em interação hemisférica no cérebro humano.

Howard Zinn: historiador, cientista político, professor da Universidade de Boston, autor de *A People's History of the United States* (Uma história do povo dos Estados Unidos).

APÊNDICE: COMO MANTER UMA CONVERSA DE CURIOSIDADE

Ao longo de *Uma mente curiosa* falamos sobre como usar as perguntas, como usar a curiosidade, para melhorar a vida cotidiana. Mas talvez você queira experimentar o que eu fiz: talvez você queira ter algumas conversas de curiosidade, sentar com algumas pessoas realmente interessantes e tentar entender como elas veem o mundo de modo diferente do seu.

As conversas de curiosidade podem ajudar a lhe proporcionar uma vida mais ampla. Podem fazer por você o que fizeram por mim — podem ajudá-lo a sair do seu mundo, podem ampliar sua perspectiva, podem lhe dar um gostinho de experiências que você não teria por sua própria conta.

CONVERSAS INICIAIS

Todo mundo tem um estilo próprio, mas recomendo começar perto de casa. De fato, foi o que eu fiz. Pense em seu círculo mais próximo de parentes, amigos, conhecidos, colegas de trabalho. Talvez haja algumas pessoas com serviços intrigantes ou experiências muito diferentes — de educação, criação, cultura, ou gente que trabalha no seu ramo, mas em um ambiente diferente.

Esse é um ótimo lugar para começar, um bom lugar para ter uma noção de como funciona uma conversa de curiosidade. Escolha alguém e pergunte se essa pessoa pode marcar uma data para conversar com você por uns vinte minutos — e especifique sobre o que você quer falar.

"Sempre tive curiosidade sobre o seu trabalho, estou tentando ampliar minha noção desse setor e queria saber se você estaria disposto a gastar vinte minutos comigo falando sobre o que faz, quais são os desafios e as satisfações."

Ou:

"Sempre tive curiosidade sobre como você acabou sendo [seja qual for a profissão] e queria saber se você estaria disposto a gastar vinte minutos conversando comigo sobre o que foi preciso para você chegar onde está — quais foram os pontos críticos centrais em sua carreira".

Eis aqui algumas dicas para quando alguém concordar em conversar com você — seja um membro da família, um conhecido ou um amigo de um amigo:

- Deixe claro que você deseja ouvir a história dele. Você não está em busca de emprego, não está em busca de conselho sobre a sua situação ou quaisquer desafios que esteja encarando. Você está curioso sobre a pessoa.
- Mesmo que a pessoa com quem está conversando seja alguém que você conhece bem, seja respeitoso — trate a ocasião com uma pontinha de formalidade, pois você quer falar sobre coisas que normalmente

★ Apêndice: como ter uma conversa de curiosidade ★

não fala, vista-se bem, chegue na hora, agradeça pelo tempo da pessoa ao sentarem para começar.

- Pense de antemão sobre o que você mais espera obter da conversa e pense em algumas perguntas em aberto que levarão a pessoa a falar naquilo em que você está mais interessado: "Qual foi o seu primeiro sucesso profissional?". "Por que você decidiu fazer [seja qual for o trabalho dela]?" "Conte-me sobre alguns grandes desafios que você teve que superar." "Qual foi a sua maior surpresa?" "Como você acabou morando em [a cidade dela]?" "Qual a parte do que você faz que as pessoas de fora não apreciam?"

- Não seja escravo das perguntas preparadas. Seja exatamente o contrário disso: escute com atenção e seja um bom conversador. Continue a partir do que é falado pela pessoa com quem você está conversando e faça perguntas que aprofundem as histórias que ela conta ou as afirmações que ela faz.

- Não compartilhe sua própria história ou suas observações. Escute. Faça perguntas. O objetivo é aprender tudo que puder sobre a pessoa com quem você está falando no tempo de que dispõe. Se você ficar falando, não vai aprender sobre a outra pessoa.

- Seja respeitoso com o tempo da pessoa, sem interromper uma bela conversa desnecessariamente. Se concordaram em lhe conceder vinte minutos, controle o tempo. Mesmo que as coisas estejam indo bem, quando o tempo reservado esgotar-se, é bom dizer algo do tipo: "Não quero tomar seu tempo em excesso, e os vinte minutos já se passaram", ou: "Passaram-se vinte minutos, talvez eu tenha que deixá-lo partir". As pessoas em geral dizem: "Estou gostando, posso conceder mais alguns minutos".

- Seja grato. Não diga apenas muito obrigado, faça o melhor cumprimento para uma conversa desse tipo: "Foi muito interessante". E mande um pequeno *e-mail* reiterando o agradecimento, quem sabe salientando uma história ou tópico de que você tenha gostado mais, ou que tenha sido particularmente revelador para você. Esse *e-mail* de agradecimento não deve perguntar mais nada — deve ser redigido de modo que a pessoa que lhe reservou um tempo não precise sequer responder.

CONVERSAS DE CURIOSIDADE DE ALCANCE MAIS LONGO

Conversas com gente de fora do seu círculo ou com estranhos são mais difíceis de arranjar, mas podem ser fascinantes, até eletrizantes.

Quem você deve abordar? Pense nos seus interesses — seja futebol universitário, astrofísica ou culinária, é quase certo que sua comunidade possui especialistas locais. Quando ler o jornal ou assistir o noticiário local, preste atenção nas pessoas que lhe impressionam. Procure especialistas na universidade local.

Marcar conversas de curiosidade com gente de fora do seu círculo requer um pouco mais de planejamento e critério:

★ Apêndice: como ter uma conversa de curiosidade ★

- Primeiro, uma vez que tenha identificado alguém com quem você gostaria de sentar e conversar por vinte minutos, considere se conhece alguém que conheça aquela pessoa. Entre em contato com a pessoa que você conhece, explique com quem quer conversar e pergunte se pode usar o nome do seu conhecido. Um *e-mail* que começa com: "Estou escrevendo por sugestão de [nome do conhecido em comum]", estabelece credibilidade imediata.

- Se você está tentando encontrar-se com alguém totalmente de fora de seu círculo, use suas próprias credenciais e forte interesse como abertura. "Sou vice-presidente do hospital local e a vida inteira me interessei por astronomia. Gostaria de saber se você estaria disposto a passar vinte minutos conversando comigo sobre seu trabalho e a situação atual do setor. Tenho em conta que você não me conhece, mas estou escrevendo movido por curiosidade genuína — não quero nada mais que uma conversa de vinte minutos, quando lhe for mais conveniente."

- Você pode ser contatado por um assistente em busca de maiores informações — e algumas pessoas podem considerar o pedido um pouco incomum. Explique o que você espera. Deixe claro que você não está procurando emprego, nem conselho, nem mudança de carreira — está simplesmente tentando entender um pouco de um assunto que lhe interessa com uma pessoa com realizações concretas nele.

- Se marcar um encontro, certifique-se de ler tanto

quanto possível sobre a pessoa que vai ver, bem como sobre a área de atuação dela. Isso pode ajudar a fazer boas perguntas sobre a carreira profissional ou seus passatempos. Mas existe uma linha tênue: respeite a privacidade da pessoa.

- Preste atenção não só ao que a pessoa com quem você está conversando diz, mas à forma como ela diz. Com frequência existe tanta informação no tom, no modo como a pessoa conta uma história ou responde a uma **_pergunta_** quanto na resposta em si.
- As dicas para as conversas iniciais continuam valendo — juntamente com sua experiência ao ter tais conversas iniciais. Tenha perguntas preparadas, mas deixe a conversa fluir baseado no que você aprende, atenha-se às perguntas da conversa — não a seus pensamentos —, respeite o relógio, agradeça à pessoa em um *e-mail* curto pós-conversa. Se um assistente ajudar a marcar uma conversa de curiosidade, certifique-se de incluir essa pessoa no bilhete de agradecimento.

🌿 CONCLUSÕES DA CURIOSIDADE 🌿

O que você vai descobrir é que as pessoas adoram falar de si mesmas — de seu trabalho, seus desafios, da história de como chegaram onde estão.

A parte mais difícil é o começo em si.

Em uma conversa de curiosidade formal, recomendo não fazer anotações — o objetivo é uma boa conversa. Fazer anotações pode deixar _**a**_ pessoa desconfortável.

★ Apêndice: como ter uma conversa de curiosidade ★

Mas, ao sair do escritório de uma pessoa, vale a pena gastar alguns minutos pensando em qual foi a coisa mais surpreendente que você aprendeu, como eram o tom e a personalidade da pessoa comparados ao que você havia imaginado, quais escolhas feitas por ela eram diferentes das que você teria feito nas mesmas circunstâncias.

E não é preciso manter as conversas de curiosidade em ambientes formais que você organize. Você encontra pessoas o tempo todo. É bem provável que a pessoa ao seu lado no avião ou no casamento tenha uma história fascinante e venha de um mundo diferente do seu — e tudo que você tem a fazer nesse ambiente é se virar, sorrir, apresentar-se e começar uma conversa. "Oi, sou Brian, trabalho na indústria do cinema — o que você faz?"

Lembre-se de que, se você está tentando aprender alguma coisa, deve fazer perguntas e ouvir as respostas em vez de falar de si mesmo.

CONVERSA DE CURIOSIDADE 2.0: O JANTAR DE CURIOSIDADE

Você pode pegar os princípios acima e estendê-los a uma atmosfera de grupo, realizando uma reunião. Pense em dois ou três amigos ou conhecidos interessantes — podem ser pessoas que se conheçam ou não —, de preferência de ramos de trabalho diferentes ou de formações diferentes.

Convide essas pessoas e peça a cada uma delas que convide dois ou três de seus amigos ou conhecidos mais interessantes. O resultado será um grupo de gente selecionada interconectada, mas (por sorte) muito diferente uma da outra.

★ UMA MENTE CURIOSA ★

O jantar pode ser formal ou informal, a seu gosto, mas deve ser em um local favorável à interação. Use as sugestões acima para dar início às conversas do jantar e encoraje todas as pessoas a seguir sua própria curiosidade, fazer perguntas, ouvir e aprender umas sobre as outras.

AGRADECIMENTOS

ℨ BRIAN GRAZER ℨ

O jornalista Charlie Rose foi a primeira pessoa a sugerir a sério um livro sobre a curiosidade. Ele me levou a seu programa de entrevistas na PBS para falar sobre a curiosidade e depois disse: "Você deveria escrever um livro a respeito".

Isso foi há dez anos. Charlie Rose plantou a semente. Ron Howard — que sabia da incrível variedade de conversas de curiosidade — de vez em quando também me incitava a escrever um livro. Ele tinha a sensação de que havia muita diversão e *insight* armazenados nas décadas de conversas com as pessoas.

Mas sempre fiquei um pouco desconfortável com a ideia — um livro sobre minha curiosidade parecia egotista e algo que não seria interessante para ninguém.

Numa certa tarde de 2012, eu estava falando sobre as conversas de curiosidade com Bryan Lourd, um de meus agentes no *show business*, e ele disse: "Por que você não escreve um livro sobre isso? Por que não escreve um livro sobre a curiosidade?". Richard Lovett, colega de Bryan na CAA, havia sugerido a mesma coisa. Eu disse que não me parecia um livro muito interessante. Bryan disse: "Não, não um livro sobre a *sua* curiosidade, um livro sobre a jornada em que você foi levado pela curiosidade. Um livro sobre a *curiosidade* — não como algum tipo de realização, mas como algo que você usa para explorar o mundo".

Essa ressignificação da ideia — um livro não sobre a minha curiosidade, mas sobre o que a curiosidade me deu condições de fazer, sobre o que a curiosidade pode possibilitar a qualquer um — botou a ideia em foco para mim.

Eu não queria escrever um livro sobre todas as pessoas com quem tive conversas — eu queria escrever sobre o impulso de ter essas conversas. Eu queria usar as conversas para contar uma história: a história de minha descoberta constante do poder da curiosidade em minha vida.

No livro, conto a história de minha avó, Sonia Schwartz, inspirando e nutrindo minha curiosidade quando menino. Como adulto, houve algumas pessoas igualmente essenciais no apoio de meu estilo curioso.

A primeira destas é, de fato, Ron Howard, meu colega profissional mais próximo há trinta anos, meu parceiro de negócios na Imagine Entertainment e meu melhor amigo. Ron é minha caixa de ressonância, meu defensor, minha consciência e nunca para de incentivar minha curiosidade.

Michael Rosenberg tem ajudado Ron e eu a fazermos filmes de uma forma eficiente há 26 anos. Muitas vezes temos quinze ou vinte projetos ao mesmo tempo, e tenho certeza de que Michael não achava que eu precisasse acrescentar um livro — exigindo horas por semana na agenda — a todas as nossas outras exigências. Mas ele foi um defensor entusiástico do livro desde o início e descobriu como adicionar graciosamente *Uma mente curiosa* a tudo mais que estivéssemos fazendo. Estaríamos perdidos sem a lealdade, determinação e liderança tranquila de Michael.

Karen Kehela Sherwood foi a primeira pessoa a me ajudar a montar as "conversas de curiosidade", assumindo uma tarefa

★ Agradecimentos ★

que eu tinha feito sozinho por anos. Ela chegou com a mesma determinação que eu de fazer as pessoas virem conversar, mas aumentou drasticamente nosso raio de alcance. Ela trouxe profissionalismo para as conversas de curiosidade e fez das minhas prioridades as suas prioridades — e sou eternamente grato por ambas as coisas.

Depois de Karen, muitos executivos e assistentes me ajudaram a continuar as conversas durante muitos anos.

Em 2006, Brad Grossman formalizou o processo da "conversa de curiosidade". Ele deu estrutura e profundidade às conversas de curiosidade e trouxe tamanho interesse genuíno em novas pessoas e novos temas que com sua ajuda conheci pessoas que nunca teria conhecido por minha conta.

Na Imagine, a ajuda e orientação de muitas pessoas têm sido indispensáveis, incluindo Erica Huggins, Kim Roth, Robin Ruse-Rinehart Barris, Anna Culp e Sage Shah. Hillary Messenger e Lee Dreyfuss me aguentam o dia inteiro todos os dias.

Quero agradecer a meus irmãos, Nora e Gavin. Eles escutaram minhas perguntas mais do que qualquer outra pessoa. Eles me mantêm alegremente ligado ao mundo real e ao mundo em que crescemos.

Meus filhos são a alegria de minha vida. Riley, Sage, Thomas e Patrick são os melhores guias de curiosidade que já tive — cada um deles me atraiu para universos que eu nunca conseguiria visitar sem eles.

Minha noiva, Veronica Smiley, esteve a meu lado ao longo da criação de *Uma mente curiosa* e foi indispensável. Veronica vê o melhor nas pessoas e sabe instintivamente como obter o melhor de mim. Sua generosidade, sua animação e seu senso de aventura são contagiantes.

Em termos de levar a curiosidade de uma ideia de livro até as páginas impressas, estou em dívida com Simon Green da CAA pelo trabalho no sentido de fazer a publicação acontecer.

Jonathan Karp, presidente e editor da Simon & Schuster, entendeu desde o início que tipo de livro eu queria que este fosse — e, desde a centelha da ideia e durante o processo de edição, nos proporcionou apoio, uma edição brilhante e se ateve a uma visão clara do livro e suas possibilidades, o que me manteve focado.

Também na Simon & Schuster, Sydney Tanigawa proporcionou a *Uma mente curiosa* uma edição de texto cuidadosa e bem pensada; o livro é muito melhor graças à atenção dela. Tivemos grande apoio em toda Simon & Schuster: Megan Hogan no escritório de Jonathan Karp, Cary Goldstein e Kellyn Patterson na publicidade, Richard Rhorer e Dana Trocker no *marketing*, Irene Kheradi, Gina DiMascia e Ffej Caplan na gestão editorial, Jackie Seow, Christopher Lin e Joy O'Meara na arte e *design*; e Lisa Erwin e Carla Benton na produção e editoração.

Finalmente, quero agradecer a meu coautor e colaborador Charles Fishman, jornalista de renome nacional. Ele faz perguntas para viver e fez perguntas sobre a curiosidade que nunca haviam me ocorrido. Sei quanto trabalho dá um filme ou programa de TV, mas não tinha ideia de quanto trabalho um livro dá. Charles fez um trabalho notável ao formatar nossas conversas de curiosidade em uma narrativa completamente original. Eu costumo iniciar nossas ligações com a saudação: "O poderoso peixão!". Ele tem sido exatamente isso.

★ Agradecimentos ★

❧ CHARLES FISHMAN ❧

Ouvi falar do projeto de livro de Brian Grazer pela primeira vez quando meu agente, Raphael Sagalyn, ligou e disse: "Vou falar uma única palavra para você. Vamos ver se esta palavra é uma ideia de livro que possa lhe interessar. A palavra é 'curiosidade'".

Ele me pegou na hora. Não existem muitos tópicos de uma só palavra tão envolventes e importantes como curiosidade. E então Rafe contou que o autor era o produtor e ganhador do Oscar Brian Grazer.

Quero agradecer a Brian por ter a chance de entrar em seu mundo e pensar sobre a curiosidade de maneiras que nunca tinha cogitado. Brian é um mestre em contar histórias e foi fascinante, divertido e esclarecedor trabalhar com ele dia após dia trazendo curiosidade à vida. Sua crença central no poder da curiosidade para melhorar a vida de todos é uma inspiração.

Quero também agradecer a Jonathan Karp por pensar que este projeto poderia me interessar. Seu apoio desde as primeiras conversas sobre como formatar o livro até a edição final foi indispensável. Sydney Tanigawa, nossa editora na Simon & Schuster, foi paciente e perspicaz.

O livro não poderia ter sido escrito sem a equipe da Imagine Entertainment. Ninguém lá jamais hesitou em ajudar ou recusou um único pedido. Obrigado a Ron Howard, Michael Rosenberg, Erica Huggins, Kim Roth, Robin Ruse-Rinehart Barris, Anna Culp e Sage Shah. Hillary Messenger e Lee Dreyfuss garantiram que eu ficasse conectado a Brian. Seu bom humor nunca falha.

Nenhum livro chega ao fim sem o conselho de Rafe, a orientação de Geoff ou a paciência e apoio de Trish, Nicolas e Maya. Minhas melhores conversas de curiosidade começam e terminam com eles.

SOBRE OS AUTORES

O produtor e ganhador do Oscar **BRIAN GRAZER** faz filmes e programas de televisão há mais de trinta anos. Como roteirista e produtor, ele já foi pessoalmente indicado para quatro Oscars. Em 2002, ganhou o Oscar de melhor filme por *Uma mente brilhante*.

Além de *Uma mente brilhante*, entre os filmes de Grazer estão *Apollo 13*, *O gângster*, *Luzes de sexta à noite*, *8 Mile — Rua das ilusões*, *Frost/Nixon*, *O mentiroso* e *Splash — Uma sereia em minha vida*. Entre as séries de TV que Grazer produziu estão *24 horas*, *Arrested Development*, *Parenthood*, *Sports Night* e *Friday Night Lights*.

Ao longo dos anos, os filmes e programas de TV de Grazer foram indicados para um total de 43 Oscars e 149 Emmys. Seus filmes geraram mais de US$ 13 bilhões de renda em cinema, música e vídeo no mundo inteiro. Em reconhecimento desta combinação de sucesso comercial e artístico, a Liga dos Produtores da América agraciou Grazer com o prêmio David O. Selznick pelo conjunto da obra em 2001.

Grazer cresceu em San Fernando Valley e graduou-se na Faculdade de Cinema da Universidade do Sul da Califórnia. Começou a carreira de produtor desenvolvendo projetos de televisão. Ao produzir pilotos de TV para a Paramount Pictures no início dos anos 1980, Grazer conheceu seu amigo e parceiro de negócios Ron Howard. A colaboração de ambos teve início em 1985 com as comédias de sucesso *Corretores do amor* e *Splash — Uma sereia em minha vida*, e em 1986 fundaram a Imagine Entertainment, que continuam a administrar juntos como presidentes.

Grazer vive no bairro de Brentwood, em Los Angeles, e tem quatro filhos. Este é seu primeiro livro.

CHARLES FISHMAN é um jornalista premiado e autor de livros da lista de mais vendidos do *New York Times*. Suas reportagens ganharam por três vezes o prêmio Gerald Loeb da UCLA, o mais alto do jornalismo de negócios. Seu primeiro livro, *The Wal-Mart Effect* (O efeito Wal-Mart), sobre o impacto do Wal-Mart no estilo de vida dos norte-americanos, figurou na lista dos mais vendidos do *New York Times* e do *Wall Street Journal* e tornou-se referência para a compreensão do Wal-Mart. Seu segundo livro, *The Big Thirst* (A grande sede), sobre nossa relação conflituosa com a água, é o *best-seller* de uma geração sobre a água e está remodelando a forma como as comunidades abordam os problemas hídricos.

Fishman cresceu em Miami e graduou-se na Universidade de Harvard. Começou a carreira como repórter do *Washington Post* e depois trabalhou no *Orlando Sentinel*, no *News & Observer* em Raleigh e na revista *Fast Company*. Vive em Washington, D.C., com sua esposa, também jornalista, e os dois filhos.

NOTAS

Introdução: **Uma mente curiosa e um livro curioso**
1. Carta de Albert Einstein a seu biógrafo, Carl Seelig, 11 de março de 1952, citado em Alice Calaprice, ed., *The Expanded Quotable Einstein* (Princeton, NJ: Princeton University Press, 2000).

Capítulo 1: **Não existe cura para a curiosidade**
2. Esta citação — talvez a sacação mais afiada do poder da curiosidade — é amplamente atribuída à escritora e poeta Dorothy Parker, mas nenhuma fonte acadêmica ou *on-line* cita quando Parker poderia ter escrito ou dito isso. A citação também é ocasionalmente atribuída a alguém chamada Ellen Parr, mas também sem situá-la e sem qualquer informação sobre a identidade de Parr. As duas frases possuem o encadeamento específico que caracteriza o estilo de Parker.
3. Para os que têm menos de trinta anos de idade: as operadoras de telefonia costumavam oferecer um serviço notável. Se você precisava de um número de telefone, simplesmente discava 4-1-1 no seu telefone, e um operador procurava para você. O endereço também.
4. Passados quarenta anos, este ainda é o número de telefone principal da Warner Bros., embora hoje você tenha que discar também o código de área: (818) 954-6000.
5. Que tipo de figura era Sue Mengers? Muito imponente, muito temível. Uma peça da Broadway de 2013 sobre a vida de Mengers chamava-se *I'll Eat You Last*.
6. O Google informa que o número médio de buscas por dia em 2013 foi 5.922.000.000. Equivale a 4.112.500 por minuto. www.statisticbrain.com/google-searches/, acessado em 10 de outubro de 2014.
7. Na série de TV *Dallas*, da CBS, a pergunta "Quem atirou em J.R.?" tornou-se um dos mais eficazes ganchos de suspense da narrativa moderna — uma campanha magistral de criação de curiosidade. O personagem J.R. Ewing, interpretado pelo ator Larry Hagman no programa de TV, foi baleado no episódio final da temporada de 1979–80, que foi ao ar em 21 de março de 1980. O personagem que atirou nele só foi revelado oito meses mais tarde, no episódio transmitido em 21 de novembro de 1980.

O *marketing* — e a curiosidade — em torno do suspense eram tão generalizados que agenciadores de aposta calcularam as probabilidades e aceitaram palpites sobre quem seria o atirador, e piadas sobre "Quem atirou em J.R.?" infiltraram-se até na campanha presidencial de 1980 entre Jimmy Carter e Ronald Reagan. A campanha republicana produziu broches dizendo "Os democratas atiraram em J.R."; o presidente Carter brincou dizendo que não teria nenhum problema para angariar fundos se conseguisse descobrir quem tinha atirado em J.R.

A CBS filmou cinco cenas, cada uma com um personagem diferente baleando J.R. No episódio de 21 de novembro, foi revelado que a atiradora era Kristen Shepard, amante de J.R. (content.time.com/time/magazine/article/0,9171,924376,00.html#paid-wall, acessado em 10 de outubro de 2014).

Se você ficou curioso, a maior bolada do Powerball — a bolada da loteria de 45 estados nos EUA — foi de US$ 590,5 milhões, ganhos em 18 de maio de 2013 por uma só apostadora, Gloria C. MacKenzie, de 84 anos de idade, com um bilhete comprado em um supermercado Publix em Zephyrhills, Flórida (www.npr.org/blogs/thetwo-way/2013/06/05/189018342/84-year-old-woman-claims-powerballjackpot, acessado em 10 de outubro 2014).

8.   Os adultos tendem a não saber a resposta para "Por que o céu é azul?" porque, embora seja uma pergunta simples e uma experiência simples, a resposta em si é complicada. O céu é azul devido à forma como a luz é composta.

Comprimentos de onda azuis são mais facilmente espalhados pelas partículas do ar do que outras cores; assim, à medida que a luz solar emana do sol para o solo, a luz azul que passa pela atmosfera espalha-se ao redor, e vemos essa dispersão como o céu azul.

A cor azul desaparece à medida que você vai mais alto na atmosfera. Em um jato comercial voando a dez mil metros, o azul já fica um pouco desbotado e tênue. Se você olhar para cima ao voar mais alto, o céu começa a parecer negro — o negro do espaço.

E o céu não parece azul quando não há luz brilhando através dele, é claro. O azul vai embora quando o sol se põe.

9.   Gênesis, 2:16–17. A citação é da New International Version (Nova Versão Internacional) da Bíblia, www.biblegateway.com, acessada em 18 de outubro de 2014.

10.   Gênesis, 3:4–5. NVI.

11.   Gênesis, 3:6. NVI.

12.   Gênesis, 3:7. NVI.

13.   É uma produção surpreendente para um estúdio em termos de impacto cultural duradouro e de qualidade em um curto espaço de tempo. Os filmes por ano:

Laranja mecânica, 1971 (quatro indicações ao Oscar)

Dirty Harry — Perseguidor implacável, 1971

Amargo pesadelo, 1972 (três indicações ao Oscar)

O exorcista, 1973 (dois Oscars, dez indicações)

Banzé no Oeste, 1974 (três indicações ao Oscar)

Inferno na torre, 1974 (três Oscars, oito indicações)

Um dia de cão, 1975 (um Oscar, seis indicações)

Todos os homens do presidente, 1976 (quatro Oscars, oito indicações)

14.   "A Strong Debut Helps, As a New Chief Tackles Sony's Movie Problems", Geraldine Fabrikant, *New York Times*, 26 de maio de 1997.

15.   Quando John Calley morreu, em 2011, o *Los Angeles Times* usou uma foto dele sentado num sofá, um pé apoiado em cima de uma mesa de café (www.latimes.com/entertainment/news/movies/la-me-2011notables-calley,0,403960.photo#axzz2qUMEKSCu, acessado em 10 de outubro de 2014).

16.   Meu escritório na Imagine Entertainment tem uma mesa, mas não me sento lá muito seguido. Tenho dois sofás, e é onde eu trabalho, com anotações espalhadas sobre as almofadas do sofá ou pela mesa de café e um suporte de telefone colocado na almofada ao meu lado.

17.   Pare e pense por um minuto. Independentemente do tipo de trabalho que você tenha — quer

★ *Notas* ★

trabalhe em filmes ou *software*, seguros, saúde ou publicidade —, imagine se decidisse hoje que, pelos próximos seis meses, conheceria uma nova pessoa do seu ramo *todos os dias*. Não para ter uma conversa de uma hora de duração, apenas conhecer e falar por cinco minutos. Daqui a seis meses, você conheceria 150 pessoas de sua área de trabalho que não conhece hoje. Se apenas 10% dessas pessoas tiverem algo a oferecer — *insight*, conexões, apoio para um projeto —, são quinze novos aliados.

18. O artigo saiu na seção "Talk of the Town" da *New Yorker*: "Want Ad: Beautiful Minds," de Lizzie Widdicombe, 20 de março de 2008.

19. De acordo com a lista da revista *Forbes* das pessoas mais ricas do mundo, Carlos Slim era o número 1 quando o conheci e, no final de 2014, ele também era o número 1. Mas os três primeiros — Slim, o fundador da Microsoft Bill Gates e o investidor Warren Buffett — revezam-se, dependendo do movimento do mercado acionário.

Capítulo 2: O chefe de polícia, o magnata do cinema e o pai da bomba H: pensando como os outros

20. A frase completa de Vladimir Nabokov é: "A curiosidade por sua vez é insubordinação em sua forma mais pura". Vem do romance de 1947 *Bend Sinister* (Nova York: Vintage Classic Paperback, 2012), 46.

21. O presidente Bush usou o discurso para denunciar os confrontos, que ele disse "não se tratar de direitos civis" e "nem de uma mensagem de protesto", mas "da brutalidade de uma turba, pura e simples". Mas ele também falou do espancamento de Rodney King: "O que vocês viram e o que eu vi no vídeo da TV foi revoltante. Senti raiva. Senti dor. Como posso explicar isso para meus netos?". O texto do discurso de Bush em 1º de maio de 1992 está aqui: www. presidency.ucsb.edu/ws/?pid=20910, acessado em 10 de outubro de 2014.

22. Na sequência do espancamento de Rodney King — antes que os policiais fossem julgados —, houve uma comissão de investigação sobre as práticas da polícia de Los Angeles e a liderança de Daryl Gates, e o chefe do LAPD anunciou no verão de 1991 que renunciaria. Daí adiou sua aposentadoria diversas vezes — e ameaçou adiar a saída até mesmo depois de seu sucessor, Willie Williams, chefe na Filadélfia, ter sido contratado.

    Aqui estão vários relatos sobre a saída relutante de Gates:

    Robert Reinhold, "Head of Police in Philadelphia Chosen for Chief in Los Angeles", New York Times, 16 de abril de 1992, www.nytimes.com/1992/04/16/head-of-police-in-philadelphia-chosen-for-chief-in-los-angeles.html, acessado em 10 de outubro de 2014.

    Richard A. Serrano e James Rainey, "Gates Says He Bluffed Sta*ying*, Lashes Critics", *Los Angeles Times*, 9 de junho de 1992, articles.latimes.com/1992-06-09/news/mn-188_1_police-department, acessado em 10 de outubro de 2014.

    Richard A. Serrano, "Williams Take Oath as New Police Chief", *Los Angeles Times*, 27 de junho de 1992, articles.latimes.com/1992-06-27/news/mn-828_1_police-commission, acessado em 10 de outubro de 2014.

23. Daryl Gates era protegido de William H. Parker, o homem em cuja homenagem a antiga sede do LAPD foi chamada de Parker Center. No início da carreira, como um jovem patrulheiro, Gates foi *design*ado motorista do chefe Parker, trabalho no qual viu de perto a aquisição e o uso cotidiano da autoridade. Mais tarde, Gates foi oficial executivo de Parker. Parker foi o chefe do LAPD que mais tempo ficou no cargo, por dezesseis anos (de 1950 a 1966); Gates

foi o segundo chefe por mais tempo, quatorze anos.

24. Escritores e pintores podem retrabalhar os mesmos tópicos, personagens e temas repetidamente — muitas séries de livros populares envolvem os mesmos personagens em tramas muito semelhantes. Atores, diretores e outros em Hollywood devem evitar fazer isso, por medo de serem estigmatizado, ou "cair na rotina".

25. Conversei com Michael Scheuer somente depois que ele deixou a CIA em 2004, quando seu livro *Imperial Hubris*, sobre ser um agente da linha de frente, foi lançado. Para um relato sobre os pontos de vista cada vez mais radicais de Scheuer desde então, ler David Frum, no *Daily Beast* de 3 de janeiro de 2014: "Michael Scheuer's Meltdown", www.thedailybeast.com/articles/2014/01/03/michael-scheuer-s-meltdown.html, acessado em 10 de outubro de 2014.

26. Esta lista provém do obituário do *New York Times* de Lew Wasserman, que morreu em 3 de junho de 2002. "Lew Wasserman, 89, is Dead; Last of Hollywood's Moguls", de Jonathan Kandell, New York Times, 4 de junho de 2002. http://www.nytimes.com/2002/06/04/business/lew-wasserman-89-is-dead-last-of-hollywood-s-moguls.html, acessado em 10 de outubro de 2014.

27. As pessoas vinham tentado comer e beber nos carros desde que as estradas foram aplainadas, mas a busca de uma forma de levar bebidas dentro dos carros realmente decolou nos anos 1950, com a invenção das lanchonetes *drive-in* de hambúrguer. Para uma breve e encantadora história do porta-copos, ver Sam Dean, "The History of the Car Cup Holder", *Bon Appétit*, 18 de fevereiro de 2013, www.bonappetit.com/trends/article/the-history-of-the-car-cup-holder, acessado em 10 de outubro de 2014.

28. "Turning an Icon on Its Head", *Chief Executive*, julho de 2003, chiefexecutive.net/turning-an-icon-on-its-head, acessado em 10 de outubro de 2014. A história de Paul Brown imaginando-se como silicone líquido é encontrada neste segundo relato da invenção da garrafa de ponta-cabeça — a válvula foi usada primeiramente em frascos de shampoo: Frank Greve, "Ketchup Squeezes Competition with Upside-Down, Bigger Bottles", *McClatchey Newspapers*, 25 de junho de 2007, http://www.mcclatchydc.com/news/nation-world/national/article24465613.html, acessado em 10 de outubro de 2014.

29. Bruce Brown e Scott D. Anthony, "How P&G Tripled Its Innovation Success Rate", *Harvard Business Review*, junho de 2011 (arquivo PDF), http://www.innovationresource.com/wp-content/uploads/2012/07/%E2%80%9CHow-PG-Tripled-Its-Innovation-Success-Rate-Harvard-Business-Review.PDF%E2%80%9D.pdf, acessado em 10 de outubro de 2014.

30. Sam Walton conta a história da criação do Wal-Mart e do aprimoramento de suas práticas de negócios e de sua curiosidade na autobiografia *Made in America* (Nova York: Bantam Books, 1993, com John Huey). A curiosidade de Walton era lendária. Um colega executivo de varejo recorda uma reunião com Walton e diz: "Ele tratava de extrair cada pedacinho de informação que você tivesse" (p. 105).

A palavra "curiosidade" aparece duas vezes no livro de 346 páginas de Walton, mais notavelmente em uma citação da esposa de Sam Walton, Helen, descrevendo sua aversão por ter se tornado uma figura pública: "O que eu odeio é ser objeto de curiosidade. As pessoas são muito curiosas sobre tudo, e por isso somos simplesmente tema de conversa pública. A coisa toda me deixa louca quando penso nela. Quer dizer, odeio isso" (p. 98). O outro uso de curiosidade é a surpresa de Walton ao ser bem recebido na sede dos concorrentes de varejo logo no início, enquanto tentava aprender como outras pessoas geriam suas lojas. "Na maioria

★ *Notas* ★

das vezes me deixavam entrar, talvez por curiosidade" (p. 104). Walton também não usa a palavra para referir-se a sua própria curiosidade.

31. A frequência das palavras "criatividade", "inovação" e "curiosidade" na mídia dos EUA vem das pesquisas de banco de dados da Nexis na categoria "Jornais e agências dos EUA" a partir de 1º de janeiro de 1980. Como as palavras apareceram com frequência cada vez maior, as pesquisas da Nexis foram feitas semanalmente para janeiro e junho de cada ano, a fim de obter contagens representativas.

Capítulo 3: A curiosidade dentro da história

32. Jonathan Gottschall, *The Storytelling Animal* (Nova York: Houghton Mifflin, 2012), 3.

33. Você pode pesquisar no Google a frase "franquias de filmes de bilhões de dólares" e obter uma lista do pessoal da Nash Information Services, que produz notícias da indústria do cinema e dados focados no desempenho financeiro de filmes em uma publicação chamada *The Numbers*. A lista Nash de "franquias" de filmes mostra que, nas bilheterias dos EUA, quatorze séries de filmes dos EUA faturaram US$ 1 bilhão ou mais. Se você incluir as vendas internacionais, os números são muito maiores. Ao todo, 47 séries de filmes já arrecadaram mais de US$ 1 bilhão em vendas de ingressos. A lista atualizada está aqui: www.the-numbers. com/movies/franchises/, acessada em 18 de outubro de 2014. O *site The Numbers* do Nash também informa que os filmes que eu produzi nos últimos 35 anos tiveram bilheteria bruta de US$ 5.647.276.060. Detalhes aqui: www.the-numbers.com/person/208890401-Brian-Grazer#tab=summary, acessado em 18 de outubro de 2014.

34. Quais partes do filme *Apollo 13* tomam liberdades com o que realmente aconteceu? Se você estiver curioso, aqui estão alguns *site*s que respondem à pergunta, incluindo uma longa entrevista com T. K. Mattingly, o astronauta retirado do voo no último minuto por ter sido exposto à rubéola:

     Ken Mattingly sobre o filme *Apollo 13*: www.universetoday.com/101531/ken-mattingly-explains-how-the-apollo-13movie-differed-from-real-life/, acessado em 18 de outubro de 2014.

     Do *site* oficial de história oral da NASA: http://www.jsc.nasa.gov/history/oral_histories/MattinglyTK/MattinglyTK_11-6-01.htm, acessado em 18 de outubro de 2014.

     Do Space.com, "Apollo 13: Facts about NASA's Near Disaster": www.space.com/17250-apollo-13-facts.html, acessado em 18 de outubro de 2014.

35. "How Biblically Accurate is *Noah*?," Miriam Krule, *Slate*, 28 de março de 2014, www.slate.com/blogs/browbeat/2014/03/28/noah_movie_biblical_accuracy_how_the_darren_aronofsky_movie_departs_from.html, acessado em 18 de outubro de 2014.

36. Como a NPR descobriu que seus ouvintes tinham "momentos na garagem"? Um ex-executivo sênior de notícias de TV para a NPR me falou que a rede recebe cartas (e agora *e-mails*) de ouvintes contando que não entram em casa quando chegam — ficam sentados no carro até a história que estão ouvindo acabar.

37. Se você não é um ouvinte regular da National Public Radio e não sabe como é ficar tão enfeitiçado por uma história de rádio que não consegue sair do carro, aqui está uma coleção de dezenas de histórias da NPR que são consideradas "momentos na garagem". Escute uma ou duas. Você vai entender: http://www.npr.org/series/700000/driveway-moments, acessado em 18 de outubro de 2014.

 # ★ Uma Mente Curiosa ★

Capítulo 4: A curiosidade como um poder de super-herói

38. James Stephens (1880–1950) foi um escritor irlandês popular no início do século XX. Esta frase é de *The Crock of Gold*, (Londres: Macmillan, 1912), 9 (visualizável como livro em www. books.google.com).

A frase completa, discutida mais adiante no capítulo, é: "A curiosidade vai conquistar o medo ainda mais do que a coragem; de fato, a curiosidade levou muitas pessoas a perigos dos quais a mera coragem física se afastaria a tremer, pois fome, amor e curiosidade são as grandes forças impulsoras da vida".

A morte de Stephens mereceu um obituário de sete parágrafos no *New York Times*: query.nytimes.com/mem/archive-free/pdf?res=9905E3DC103EEF3BBC4F51D-FB467838B649EDE, acessado em 18 de outubro de 2014.

39. A produtividade de Isaac Asimov como autor era tão impressionante que seu obituário no *New York Times* detalha o número de livros que ele escreveu década por década — no quarto parágrafo do texto. Mervyn Rothstein, "Isaac Asimov, Whose Thoughts and Books Traveled the Universe, Is Dead at 72", *The New York Times*, 7 de abril de 1992, www.nytimes.com/ books/97/03/23/lifetimes/asi-v-obit.html, acessado em 18 de outubro de 2014.

Há um catálogo *on-line* de todos os livros que Asimov escreveu, compilado por Ed Seiler com o aparente apoio de Asimov: www.asimovonline.com/old*site*/asimov_catalogue. html, acessado em 18 de outubro de 2014.

40. Na reconstrução deste encontro, trocamos *e-mails* com Janet Jeppson Asimov sobre minha breve reunião há 28 anos. Ela não tem lembrança do encontro e se desculpou por qualquer grosseria. Também disse que, embora não fosse de conhecimento público na época, Isaac Asimov já estava infectado com o vírus HIV que iria matá-lo seis anos mais tarde e já estivera enfermo muitas vezes. Janet Asimov disse que sua impaciência pode muito bem ter sido resultado do instinto — inteiramente compreensível — de proteger o marido.

41. Pelo que me lembro, a história do *New York Times* sobre o esquema de prostituição gerenciado do necrotério é divertida — e é praticamente o argumento para um roteiro de filme. Foi publicada em 28 de agosto de 1976, contraposta aos obituários na seção "Metro". A frase de abertura informa que os homens que gerenciavam o esquema de garotas de programa muitas vezes "levavam as prostitutas para os clientes no carro oficial do médico legista". O *Times* nunca noticiou no que deram as acusações contra os homens — nem nenhum outro veículo de comunicação. Aqui está a história original (PDF): query.nytimes.com/mem/ archive/pdf?res=F20617FC3B5E16738DDDA10A94D0405B868BF1D3, acessado em 18 de outubro de 2014.

42. A executiva de cinema e jornalista Beverly Gray oferece um relato detalhado da criação de *Corretores do amor* e *Splash* em sua biografia de Ron Howard, *Ron Howard: From Mayberry to the Moon... and Beyond* (Nashville, TN: Rutledge Hill Press, 2003).

43. A *Newsweek* fez uma reportagem sobre a venda dos direitos de *Como o Grinch roubou o Natal*: "The Grinch's Gatekeeper", 12 de novembro de 2000, www.newsweek.com/grinchs-gatekeeper-156985, acessado em 18 de outubro de 2014.

A placa de carro "GRINCH" de Audrey foi comentada em um perfil da Associated Press de 2004, ano do centenário de nascimento de Theodor Geisel: "A Seussian Pair of Shoulders", por Michelle Morgante, Associated Press, 28 de fevereiro de 2004, publicado no *Los Angeles*

★ *Notas* ★

Times, articles.latimes.com/2004/feb/28/entertainment/et-morgante28, acessado em 18 de outubro de 2014.

Que o Dr. Seuss tinha usado a placa de carro "GRINCH" é observado na biografia dele por Charles Cohen: *The Seuss, The Whole Seuss, and Nothing but the Seuss: A Visual Biography of Theodore Seuss Geisel* (Nova York: Random House, 2004), 330.

44. O *Grinch* foi um enorme sucesso na temporada de cinema no Natal de 2000. Ficou quatro semanas como filme número 1 no país e, apesar de só estrear em 17 de novembro, foi a maior bilheteria de 2000 (rendendo por fim cerca de US$ 345 milhões) e é a segunda maior bilheteria da temporada de Natal de todos os tempos, depois de *Esqueceram de mim*. O *Grinch* foi indicado a três Oscars — figurino, maquiagem e direção de arte — e ganhou o de maquiagem.

45. Os números das vendas dos livros de Theodor Geisel em 2013 provêm da *Publisher's Weekly*: Diane Roback, "For Children's Books in 2013, Divergent Led the Pack", 14 de março de 2014, www.publishersweekly.com/pw/by-topic/childrens/childrens-industry-news/article/61447-for-children-s-books-in-2013-divergent-led-the-pack-facts-figures-2013.html, acessado em 18 de outubro de 2014.

O *New York Times* registrou as vendas totais de Seuss em 600 milhões de cópias no 75º aniversário da publicação de *And to Think That I Saw It on Mulberry Street*: Michael Winerip, "Mulberry Street May Fade, But 'Mulberry Street' Shines On", 29 de janeiro de 2012, www.nytimes.com/2012/01/30/education/dr-seuss-book-mulberry-street-turns-75.html, acessado em 18 de outubro de 2014.

A história de Geisel ser rejeitado 27 vezes antes de ver seu primeiro livro publicado é repetida com frequência, mas os detalhes valem a pena. Geisel diz que estava indo a pé para casa, agastado pela 27ª rejeição do livro, com o manuscrito e os desenhos de *Mulberry Street* debaixo do braço, quando um conhecido do tempo de estudante no Dartmouth College cruzou com ele pela calçada da Madison Avenue em Nova York. Mike McClintock perguntou o que Geisel estava carregando. "É um livro que ninguém vai publicar", disse Geisel. "Vou levar para casa e queimar." Naquela manhã, McClintock acabara de ser nomeado editor de livros infantis na Vanguard; ele convidou Geisel para ir a seu escritório, e McClintock e seu chefe compraram *Mulberry Street* naquele dia. Quando o livro saiu, o legendário crítico literário da *New Yorker*, Clifton Fadiman, capturou em uma única frase: "Dizem que é para crianças, mas é melhor pegar uma cópia para você mesmo e se maravilhar com as imagens impossíveis do bom Dr. Seuss e o conto moral do garotinho que exagerava não sabiamente, mas muito bem". Geisel mais tarde diria do encontro com McClintock na rua: "Se tivesse vindo pelo outro lado da Madison Avenue, hoje eu estaria no ramo de lavagem a seco".

A história do encontro de Geisel com McClintock na Madison Avenue é bem contada em: Judith Morgan e Neil Morgan, *Dr. Seuss & Mr. Geisel: A Biography* (Nova York: Da Capo Press, 1995), 81-82. A resenha de Fadiman é citada nas pp. 83–84.

46. James Reginato, "The Mogul: Brian Grazer, whose movies have grossed $10.5 billion, is, arguably, the most successful producer in town — and surely the most recognizable. Is it the hair?", revista *W*, 1º de fevereiro de 2004.

47. *The New York Post* fez uma breve reportagem sobre a viagem a Cuba: "Castro Butters Up Media Moguls", 15 de fevereiro de 2001, p. 10.

Capítulo 5: Toda conversa é uma conversa de curiosidade

48. Brené Brown é professora pesquisadora na Faculdade de Assistência Social da Universidade de Houston. Sua pesquisa centra-se na vergonha e na vulnerabilidade, e ela é autora de vários *best-sellers*. Ela denomina-se "uma investigadora e contadora de histórias" e muitas vezes diz: "Talvez histórias sejam apenas dados com alma". Sua palestra na TEDxHouston em junho de 2010 — "O poder da vulnerabilidade" — é a quarta palestra TED mais assistida até hoje, somando dezessete milhões de visualizações no final de 2014: www.ted.com/talks/brene_brown_on_vulnerability, acessado em 18 de outubro de 2014.

49. Bianca Bosker, "Google *Design*: Why Google.com Homepage Looks So Simple", *Huffington Post*, 27 de março de 2012, www.huffingtonpost.com/2012/03/27/google-*design*-sergey-brin n_1384074.html, acessado em 18 de outubro de 2014.

50. Do *site* poliotoday.org. A seção de história está aqui, com o impacto cultural e estatísticas: poliotoday.org/?page_id=13, acessado em 18 de outubro de 2014.

    O *site* poliotoday.org foi criado e é mantido pela organização de pesquisa de Jonas Salk, o Instituto Salk de Estudos Biológicos.

51. Esta lista de sobreviventes da pólio provém de compilação da Wikipedia, que contém citação de fonte para cada pessoa listada: en.wikipedia.org/wiki/List_of_poliomyelitis_survivors, acessado em 18 de outubro de 2014.

52. Um relato do desenvolvimento frequentemente controverso da vacina da poliomielite está aqui: www.chemheritage.org/discover/online-resources/chemistry-in-history/themes/pharmaceuticals/preventing-and-treating-infectious-diseases/salk-and-sabin.aspx, acessado em 18 de outubro de 2014.

53. Harold M. Schmeck Jr., "Dr. Jonas Salk, Whose Vaccine Turned Tide on Polio, Dies at 80", *New York Times*, 24 de junho de 1995, www.nytimes.com/1995/06/24/obituaries/dr-jonas-salk-whose-vaccine-turned-tide-on-polio-dies-at-80.html, acessado em 18 de outubro de 2014.

Capítulo 6: Bom gosto e o poder da anticuriosidade

54. Carl Sagan disse isso em uma entrevista na TV para Charlie Rose em 27 de maio de 1996, no *Charlie Rose Show* da PBS. A entrevista completa está disponível no YouTube: www.youtube.com/watch?v=U8HEwO-2L4w, acessado em 18 de outubro de 2014.

    No momento da entrevista, Sagan, astrônomo e escritor, estava doente, com câncer de medula óssea. Ele morreu seis meses depois, em 20 de dezembro de 1996.

55. Denzel Washington disse que só faria *O gângster* se no final o personagem que ele interpreta, o traficante de heroína Frank Lucas, fosse punido.

56. O símbolo da Imagine na NASDAQ era IFEI — Imagine Films Entertainment Inc.

Capítulo 7: A era de ouro da curiosidade

57. Do livro de 1951 de Arthur C. Clarke, prevendo o futuro das viagens espaciais: *The Exploration of Space* (Nova York: Harper and Brothers, 1951, reeditado desde então), capítulo 18, p. 187.

58. As abelhas são surpreendentemente velozes: deslocam-se a cerca de 24km/h e podem chegar a 32km/h quando necessário. Portanto, são tão velozes quanto um carro lento — mas de perto, dado o tamanho diminuto, parecem deslocar-se bastante rápido.

★ *Notas* ★

Mais sobre a velocidade de voo das abelhas neste *site* da Universidade da Califórnia: ucanr. edu/blogs/blogcore/postdetail.cfm?postnum=10898, acessado em 18 de outubro de 2014.

59. Para uma excelente biografia científica de Robert Hooke: Michael W. Davidson, "Robert Hooke: Physics, Architecture, Astronomy, Paleontology, Biology", *LabMedicine* 41, 180–82.
Disponível online: http://labmed.ascpjournals.org/content/41/3/180.full?sid=d39d-432d-4801-4e74-bef6-57a4b45852a0, acessado em 18 de outubro de 2014.

60. Curiosidade como "um impulso fora da lei", de Barbara M. Benedict, *Curiosity: A Cultural History of Early Modern Inquiry* (Chicago: University of Chicago Press, 2001), 25.

61. Beina Xu, "Media Censorship in China", *Council on Foreign Relations*, 12 de fevereiro de 2014, www.cfr.org/china/media-censorship-china/p11515, acessado em 18 de outubro de 2014.
A frase de Karl Marx muitas vezes é erroneamente citada como "a religião é o ópio do povo". O contexto completo da citação é revelador, pois Marx estava fazendo uma observação sobre a opressão e a miséria da classe trabalhadora, que ele achava que a religião tentava tanto encobrir quanto justificar. A citação completa, que vem da *Crítica da filosofia do direito de Hegel* (*Critique of the Hegelian Philosohy of Right*, Cambridge University Press, 1977, p. 131), é: "A miséria da religião é ao mesmo tempo uma expressão da miséria real e um protesto contra ela. A religião é o suspiro da criatura oprimida, o coração de um mundo sem coração e a alma de uma situação desalmada. É o ópio do povo. A abolição da religião como a felicidade ilusória do povo é uma exigência para a verdadeira felicidade. A exigência de que abandone as ilusões sobre sua situação é a exigência de abandonar uma situação que requer ilusões. Assim, a crítica da religião é a crítica em embrião do vale de lágrimas do qual a religião é a auréola".

Livros para mudar o mundo. O seu mundo.

Para conhecer os nossos próximos lançamentos
e títulos disponíveis, acesse:

🌐 www.**citadeleditora**.com.br

f /**citadeleditora**

📷 @**citadeleditora**

🐦 @**citadeleditora**

▶ Citadel - Grupo Editorial

Para mais informações ou dúvidas sobre a obra,
entre em contato conosco através do *e-mail*:

✉ contato@**citadeleditora**.com.br